U0217386

國家古籍整理出版專項經費資助項目

栖芬室

栖芬室藏中醫典籍精選·第三輯

醫説 貳

【宋】張杲 撰
中國中醫科學院中醫藥信息研究所組織編纂
牛亞華◎主編　　牛亞華◎提要

北京科學技术出版社

圖書在版編目（CIP）數據

栖芬室藏中醫典籍精選·第三輯．醫説　貳/牛亞華主編．—北京：北京科學技術出版社，2018.1

ISBN 978－7－5304－9248－2

Ⅰ．①栖…　Ⅱ．①牛…　Ⅲ．①中國醫藥學—古籍—匯編　Ⅳ．①R2-52

中國版本圖書館 CIP 數據核字（2017）第213663號

栖芬室藏中醫典籍精選·第三輯．醫説　貳

主　　編：牛亞華
策劃編輯：章　健　侍　偉　白世敬
責任編輯：張　潔　周　珊
責任印製：張　良
出 版 人：曾慶宇
出版發行：北京科學技術出版社
社　　址：北京西直門南大街16號
郵政編碼：100035
電話傳真：0086-10-66135495（總編室）
0086-10-66113227（發行部）　0086-10-66161952（發行部傳真）
電子信箱：bjkj@bjkjpress.com
網　　址：www.bkydw.cn
經　　銷：新華書店
印　　刷：虎彩印藝股份有限公司
開　　本：787mm×1092mm　1/16
字　　數：313千字
印　　張：26.75
版　　次：2018年1月第1版
印　　次：2018年1月第1次印刷
ISBN 978－7－5304－9248－2/R·2416

定　　價：690.00元

京科版圖書，版權所有，侵權必究。
京科版圖書，印裝差錯，負責退換。

栖芬室藏中醫典籍精選·第三輯

醫說　貳

醫說卷第五

心疾健忘

抑情順理

燕居暇日何所用心善養形神周防患疾常存謹畏無一失調將食飲之間最為急務安危所繫智力可分與其畏病而求醫孰若明理以自求與其有病而治以藥孰若抑情而預治情斯可抑理亦漸明能任理而不任情則所養可謂善養者矣防患却疾之要其在茲乎（食治通說）

心疾

韋綬李蟠俱以心疾廢綬常疑遇毒鎖并而飲李益少而疑病心亦心疾也心靈府也為外物所中終身不痊多思慮多疑惑病之本也國史補

驚氣入心

治驚氣入心絡瘖不能語蜜陀僧研細服一匕許茶調服遂愈有人因伐薪山間為狼所逐而得是疾或授以此方亦愈又一軍校採藤於谷逢惡蛇而病其狀正同亦用此藥療之而愈己志

神志恍惚

韓宗武侍父官洋州得異疾與神物遇頗不省人事

神志恍惚或食或不食國醫陳易簡教服蘇合香丸後數月所遇者忽不至編類

神氣不寧

明州董生患神氣不寧每臥覺身在床而神離體驚悸多魘通夕無寐許為診視詢諸醫作何證曰心病也許曰是肝經受邪非心病也肝藏魂者也遊魂為變平人肝不受邪故魂宿于肝神靜而得寐今肝經因虛邪氣襲之魂不歸舍是以臥則揚揚若去體肝主怒故小怒輙劇董喜曰前此未之聞雖未服藥已覺沉痾去體矣願求藥法許曰君且持此說與眾醫

議所治之方而徐質之閱旬日復至云醫徧議古今方書無與病相對者許乃爲處真珠丸獨活湯二方以贈服一月而病悉除其方大體以珠母爲君龍齒佐之珠入肝經爲第一龍齒與肝同類故也龍齒虎睛今人例作鎮心藥而不知龍齒安魂虎睛定魄各言其類也龍能變化故魂遊而不定虎能專靜故魄止而有守當隨其宜而治之載本事方一卷

健忘詩

治心氣不足健忘詩云桂遠人三四天菖地亦同茯苓加一倍日誦萬言通遠官桂遠志人參巴戟天菖

蒲地骨皮瑣碎錄

忽不識字

松滋令姜愚無他疾忽不識字數年方稍稍復舊筆談

治人心昏塞多忘喜誤

七月七日取蜘蛛網着衣領中勿令人知不忘本草

治惡夢

錢丕少卿忽夜多惡夢但就枕便成輒通夕不止後因赴官經漢上與鄧州推官胡用之相遇驛中同宿遂說近日多夢慮非吉兆胡曰昔嘗如此驚怕特甚有道士教戴丹砂初任辰州推官求得靈砂雙箭鏃

者戴之不渉旬即驗四五年不復有夢至今秘惜因鮮髻中一絳紗袋遺之即夕無夢神䰟安静真誥及他道書多載丹砂辟惡豈不信然類編

麝枕

置麝枕中可絶惡夢物類相感志

癲疾

素問曰人生而病癲疾者安淂知之岐伯曰病名為胎病此得之在母腹中時其母有所大驚氣上而不下精氣并居故令子發為癲疾也御覽

又

癲狂之疾何以别荅曰狂之始發少卧少飢自賢自貴妄笑好樂

又

癲者不守精神言語錯亂甚則登高罵詈或至狂走癇者發則仆地嚼舌吐沫手足搐搦或作六畜之聲頃刻則蘇癇者邪入於陰經一曰陽併則狂癲者邪干於心其處方用藥亦皆相類

狂

凡人患癲狂叫喚打人者皆心經有熱當用鎮心藥兼大黄與之瀉数日然後服安神及風藥但淂寧靜

即是安樂不可見其瘦弱減食便以温藥補之病必再作戒之戒之緩緩調飲食可也御覽

魘不寤

人眠則魂魄外遊為邪鬼所魘屈其精神弱者魘則久不得寤乃至氣絕所以須傍人助喚并以方術治之低聲遠喚即活雞峯方

夢

陰盛則夢涉水恐懼陽盛則夢大火燔灼陰陽俱盛則夢相殺毀傷上盛則夢飛下盛則夢墮飽則夢予饑則夢取肝氣盛則夢怒肺氣盛則夢哭

臥而不寐

老人臥而不寐少壯寐而不寤何也少壯者血氣盛肌肉滑氣道通榮衛之行不失於常故晝日精夜不寐也老人血氣衰肌肉不滑榮衛之道澀故晝日不能精夜不得寐也

小便如泔

一男子小便日数十次如稠米泔色亦白心神恍惚瘦瘁食減以女劳得之服此桑螵蛸散未終劑而愈安神魂定心志治健忘小便数補心氣桑螵蛸遠志菖蒲龍骨人参茯神當歸龜甲醋炙以上各一兩為

末每服二錢夜卧人參湯調本草衍義

夜魘

夜魘之人急取梁上塵内鼻中即醒戒以燈照之碎瑣

暮卧呪

道林云暮卧常以手撫心上呪曰天靈鄮榮顛潯長生五臟君侯以顧其安寧男一七遍女二七遍長生不病

桑葉止汗

嚴州山寺有一遊僧形體羸瘦飲食甚少每夜就枕

遍身出汗迨旦衣服皆透濕如此二十年無復可療唯待盡耳監寺僧曰吾有藥絕驗為汝治之三日宿疾頓愈遂併授以方乃單用桑葉一味乘露採摘控焙乾碾為末二錢空腹溫米飲調或值桑落乾者亦堪用但力不如新者按本草亦載桑葉主止汗其說

大驚發狂

許叔微本事方云軍中有一人犯法褫衣將受刃得釋神失如癡予與驚氣丸一粒服訖而寐及覺病已失矣江東張提轄妻因避寇失心已数年予授其方

隨愈又黃山沃巡檢妻狂厥踰年更十餘醫而不驗手授其方去附子加鐵粉亦不終劑而愈鐵粉非但化涎鎮心至如催抑肝邪特異若多恚怒肝邪太盛鐵粉能制伏之素問言陽厥狂怒治以鐵落飲金制

犯大麥毒

齊州有人病狂每歌曰五靈華蓋曉玲瓏天府由來汝府中惆悵此情言不盡一丸蘿蔔火吾宮又歌曰踏陽春人間二月雨如塵陽春踏盡秋風起腸斷人間白髮人後遇一道士作法治之乃云夢中見一紅

裳少女引入宮殿皆紅紫飾小姑令歌道士曰此正犯大麥毒女則心神小姑脾神也按醫經蘿蔔治麪毒故曰火吾宮即以藥并蘿蔔食之遂愈洞微志

夢遺

有人夢遺精初有所見後來雖夢中無所見日夜不拘常常遺漏作心疾不足服心氣藥無驗作腎氣虛補腎藥亦無驗醫問患者覺腦冷否應之曰只為腦冷服驅寒散遂安蓋腦者諸陽之會髓之海腦冷則髓不固是以遺漏也有此疾者先去腦中風冷腦氣冲和兼服益心腎藥無不愈者

心脉溢關

王叔和脉訣論曰溢關骨痛心煩燥逼真子解云心脉盛而溢關則筋緊而骨束是以骨痛師曰筋緊有筋攣之疾豈骨痛所以心脉盛而骨痛者心屬火骨屬腎水心脉溢關則水不勝火煎熬得骨痛非筋緊

瘖

黄帝問曰人有重身九月而瘖此爲何也岐伯對曰胞之絡脉絶也帝曰何以言之岐伯曰胞絡者繫於腎少陰之脉貫腎繫舌本故不能言帝曰治之奈何

岐伯曰無治也當十月復

人卧血歸於肝

人卧血歸於肝肝受血而能視足受血而能步掌受血而能握指受血而能攝

血脉

脉者血之腑脉實血實脉虛血虛

笑歌狂疾

開元中有名醫紀朋者觀人顏色談咲知病深淺不待診脉帝聞之召於掖庭中看一宮人每日昃則咲歌啼號若狂疾而足不能履地朋視之曰此必因食

飽而大促力頓仆於地而然乃飲以雲母湯令熱寢覺而失所苦問之乃言因大華公主載誕宫中大陳吹歌某乃主謳懼其聲不能清且長喫㹠蹄羹飽而當歌筵大曲曲罷覺胸中甚熱戲於砌臺上高而墜下久而方甦病狂足不能步也明皇雜録

膈噎諸氣

氣膈

齊王中子諸嬰兒小子病召臣意診切其脉告曰氣膈病病使人煩懣食不下時嘔沫病得之少憂數忔食飲意即為之作下氣湯以飲之一日氣下二日能

食三日即病愈所以知小子之病者診其脉心氣也濁躁而經也此絡陽病也脉法云脉来数疾去難而不一者病主在心周身熱脉盛者為重陽重陽者遏音唐心主故煩懣食不下則絡脉有過絡脉有過則血上出血上出死此悲心所生也病得之憂也史記

五膈

古今論膈氣乃有五種謂憂膈恚膈氣膈寒膈熱膈也夫胸中氣結煩悶飲食不下羸瘦無力此乃憂膈心下實滿食不消化噫輒醋心大小便不利此名恚膈胸脇逆滿咽喉閉塞噫聞食臭此名氣膈心腹脹

滿欬逆腸鳴食不生肌此名寒膈五心中熱口舌生瘡骨煩體重唇乾口燥背痛胸痺此名熱膈

五噎諸氣婦人多有此疾

此病不在内不在内不屬冷不屬熱不是實不是虛所以藥難取效此病緣憂思恚怒動氣傷神氣積於内氣動則諸證悉見氣靜疾候稍平手捫之而不淂疾之所在目視之而不知色之所因耳聽之而不知音之所發故鍼灸服藥皆不獲效此乃神氣間病也頃京師一士人家有此證勸令靜觀内外將一切用心力事委之他人服藥方淂見効若不如此恐卒不

能安但依此戒兼之灼艾膏肓與四花穴及服此三藥可以必差孫真人云婦人嗜欲多於丈夫感病倍於男子加以慈戀愛憎疾妬憂恚染着堅牢情不自抑所以為病根深療之難差鷄峯方同上

五噎

噎病亦有五種氣噎憂噎食噎勞噎思噎噎者乃噎塞不通心胸不利飲食不下也各隨其證而治之

瘥治噎疾

廣五行記治噎疾永徽中絳州有僧病噎數年臨死遺言令破喉視之得一物似魚而有兩頭徧體悉是

肉鱗置鉢中跳躍不止以諸味投鉢中須臾悉化為水時寺中方刈藍作靛試取少靛投鉢中此蟲遶鉢畏避須臾化為水世人以靛治噎疾良方

糠治卒噎

舂杵頭細糠治卒噎陶隱居云食卒噎不下刮取含之即去亦是舂擣義爾天下事理多有相影響如此也日華子云治卒噎煎湯呷本草

病噎吐蛇

華佗行道見一人病噎嗜食而不得下家人車載欲往就醫佗聞其呻吟駐車往視語之曰向來道傍有

賣餅家蒜虀大酢從取三升飲之病自當差即如佗言立吐蛇一條懸之車邊欲造佗佗尚未還佗家小兒戲門前迎見自相謂曰客車邊有物必是逢我公也疾者前入見佗壁北懸此蛇輩以十數御覽

食飴主噎

吳廷紹為太醫令烈祖因食飴喉中噎國醫皆莫能愈廷紹尚未知名獨謂當進楮實湯一服疾失去群醫默識之他日取用皆不驗或扣之答曰噎因甘起故以楮實湯治之南唐書

百病生於氣

百病生扵氣怒則氣上喜則氣緩悲則氣消恐則氣下寒則氣收炅則氣泄驚則氣亂勞則氣耗思則氣結九氣不同何病之生

天地氣所主

天地之數起扵上而終扵下歲半之前天氣主之歲半之後地氣主之上下交互氣交主之歲紀畢矣

氣虛氣逆

邪氣盛則實精氣奪則虛氣虛者肺虛也氣逆者足寒也非其時則生當其時則死餘臟皆如此

有餘不足

神有餘有不足氣有餘有不足血有餘有不足形有餘有不足志有餘有不足凡此十者其氣不等

重虛

脉氣上虛尺虛是謂重虛

寒熱厥

陽氣衰於下則為寒厥陰氣衰於下則為熱厥

氣候

五日謂之候五候謂之氣六氣謂之時四時謂之歲

六氣

天氣通於肺地氣通於嗌風氣通於肝雷氣通於心

谷氣通於脾雲氣通於腎腸胃為海九竅為水

胃氣五臟之本

五臟皆稟氣於胃胃者五臟之本臟氣不能自致於手太陰必因胃氣

四時五行五臟五氣

天有四時五行生長收藏以生寒暑燥濕風人有五臟化五氣以生喜怒憂悲恐故喜怒傷氣寒暑傷形暴怒傷陰暴喜傷陽

旦暮

平旦人氣生日中陽氣隆日西陽已虛氣門已閉是

故暮而收拒無擾筋骨無見霧露反此二時形乃困

四時之氣更傷五臟

春傷於風邪氣留連乃為洞泄木勝脾土故也夏傷於暑秋為痎瘧秋傷於濕上逆而欬發為痿厥冬傷於寒春必溫病四時之氣更傷五臟

五臟所藏

心藏神肺藏魄肝藏魂脾藏意腎藏志是為五臟所

五臟所傷

久視傷血久卧傷氣久坐傷肉久立傷骨久行傷筋是為五臟所傷

五臟之脉

肝脉弦心脉鈎脾脉代肺脉毛腎脉石是為五臟之脉

五入

酸入肝辛入肺苦入心鹹入腎甘入脾是為五入

五惡

心惡熱肺惡寒肝惡風脾惡濕腎惡燥是為五惡

五液

五臟化液心為汗肝為淚肺為涕脾為涎腎為唾是為五液

五主

心主脉肺主皮肝主筋脾主肉腎主骨是為五主

五禁

辛走氣氣病無多食辛鹹走血血病無多食鹹苦走骨骨病無多食苦甘走肉肉病無多食甘酸走筋筋病無多食酸是為五禁

汗出

飲食飽甚汗出於胃驚而奪精汗出於心持重遠行

汗出於腎疾走恐懼汗出於肝搖體勞苦汗出於脾

　　體有可已之疾

孫思邈居太白山於惟步醫藥無不善盧照隣有惡疾不可為而問曰高醫愈疾柰何荅曰天有四時五行寒暑迭居和為雨怒為風凝為霜雪張為虹蜺天常數也人之四肢五臟一覺一寐吐納往来流為榮衛張為氣色發為音聲人常數也陽用其形陰用其精天人所同也失則蒸生熱痞生寒結為瘤贅陷為

　　則喘乏竭則焦槁發乎面動乎形天地亦然

五緯縮羸孛彗飛流其危沴也寒暑不時其蒸否也

石立土埇是其贅瘤山崩土陷是其癰疽奔風暴雨是其喘乏川瀆竭涸是其焦槁高醫導以藥石投以砭劑聖人和以至德輔以人事故體有可已之疾天有可救之災唐書

消渴

渴服八味丸

千金云消渴病所忌者三一飲酒二房室三鹹食及麵能忌此雖不服藥亦自可消渴之人愈與未愈常須慮患大癰必於骨節間忽發癰疽而卒予親見友人邵任道患渴數年果以癰疽而死唐祠部李郎中

論消渴者腎虚所致每發則小便甜醫者多不知其疾故古今亦闕而不言洪範言稼穡作甘以物理推之淋餳醋酒作脯法須臾皆即能甜也足明人食之後滋味皆甜流在膀胱若腰腎氣盛是為真火上蒸脾胃變化飲食分流水穀從二陰出精氣入骨髓合榮衛行血脉榮養一身其次以為脂膏其次以為血肉也其餘則為小便故小便色黃血之餘也臊氣者五臟之氣鹹潤者則下味也腰腎既虚冷則不能蒸於穀氣則盡下為小便故味甘不變其色清冷則肌膚枯槁也猶如乳母穀氣上泄皆為乳汁消渴病者

下泄為小便皆精氣不實於内則小便数溲溺也又肺為五臟華蓋若下有暖氣蒸則肺潤若下冷極則陽氣不能升故肺乾即渴易於否卦乾上坤下陽無陰而不降陰無陽而不升上下不交故成否也譬如釜中有水以火暖之其釜若以板覆則暖氣上騰故板能潤也若無火力水氣則不能上此板則終不能潤也火力者則是腰腎強盛也常須暖補腎氣飲食得火力則潤上而易消亦免乾渴也故張仲景云宜服腎氣八味丸此病與脚氣雖同為腎虛所致其脚氣始發於二三月盛於五六月衰於七八月凡消渴

始發於七八月盛於十一月十二月衰於二三月其故何如夫脚氣壅疾也消渴宣疾也春夏陽氣上故壅疾發則宣疾愈秋冬陽氣下故宣疾發則壅疾愈也審此二者疾可理也猶如善為政者寬以濟猛猛以濟寬隨事制度爾仲景云足太陽者膀胱之經也膀胱者腎之腑小便數此為氣盛氣盛則消穀大便硬衰則為消渴也男子消渴飲一斗小便亦得一斗宜八味腎氣丸本事方

又

眉山有揭頴臣者長七尺健飲啖倜儻人也忽得消

渴疾日飲水數斗食常倍而數溺消渴藥服之逾年
疾日甚自度必死治棺衾屬其子詢於人蜀有良醫
張肱隱之子不記其名爲診脉哭曰君幾誤死矣取
麝香當門子以酒濡之作十許丸取枳枸子爲湯飲
之遂愈問其故張生曰消渴消中皆脾衰而腎敗土
不能勝水腎亦不上泝乃成此疾今診頼臣脾脉極
巨脉熱而腎不衰當由果實與酒過度虛熱在脾故
飲食兼人而多飲飲水既多不得不多溺也非消渴
也麝香能敗酒瓜果近輙不結而枳枸亦能勝酒屋
外有此木屋中釀酒不熟以其木爲屋其下亦不可

醸酒故以二物為藥以去酒果之毒宋玉云枳枸來巢以其實如鳥乳故能來巢今俗訛謂之鷄矩子亦為之癩漢指頭蓋取其似也嚼之如牛乳小兒喜食之大全集

又

昔在仕宦患消渴醫者謂其不過三十日死棄官而歸半途遇一醫人令急遣人致北梨二擔食盡則差仕宦如其言淂之才渴即食未及五六十枚而病止

仲景治渴

提點鑄錢朝奉郎黄沔久病渴極疲瘁予每見必勸

服八味丸初不甚信後累醫不痊謾服數兩遂安或問渴而以八味丸治之何也對曰漢武帝渴張仲景為處此方蓋渴多是腎之真水不足致然若其勢未至於消但進此劑殊佳且藥性溫平無害也泊宅編

浮石止渴

交州記曰浮石體虛而輕煮飲止渴

苦酒消渴

卞蘭苦酒消渴時魏明帝信巫女用水方使人持水賜蘭蘭不肯飲詔問其意蘭言治病自當以方藥何信於此帝為變色而蘭終不服三國志

熱中消中冨貴人

多飲數洩曰熱中多食數溲曰消中多喜曰癲多怒曰狂熱中消中皆冨貴人也內經

心腹痛

心痛

心藏神心者身之主也其正經為風邪所乘名真心痛旦發夕死夕發旦死心有包絡脉是心之別脉為風冷所乘亦令心痛然乍輕乍盛不至於死又手少陰心之經其氣逆謂之陽虛陰厥亦令心痛其痛引喉是也其心下急痛名脾心痛腹脹而心痛名胃心

痛下重而苦泄寒中為腎心痛又有九種心痛一蟲二疰三風四悸五食六飲七冷八熱九去来此皆邪氣乘於手少陰之絡邪氣搏于正氣邪正相擊故令心痛診其心脉急者為痛引背食不下寸口脉沉緊苦心下寒時痛關上脉緊心下苦痛左手寸脉沉則為陰陽絶者無心脉也苦心下毒痛鷄峯方

腹痛有數種

有人患腹痛其狀不一有風痛熱痛有冷痛有冷積痛有氣積痛有蟲痛有婦人經脉行而先腹痛有小兒瘡疹出而先腹痛者滿腹虚脹服暖藥無效者此

風痛也宜服官局胃風湯火杴草丸如附子烏頭之類大便秘結小便赤而喜冷飲食者此熱痛也後生宜四順飲老人宜服大麻仁丸皆局方有塊起而腹痛者皆積也冷積則面無色瘦瘠脉沉伏宜於暖藥中用巴豆如官局積氣丸之類氣積多噫氣宜服嘉禾散調氣散五膈寬中散如茴香丁香木香沉香之類食積則多噫酸口出清水惡心宜服京三稜蓬莪术乾漆之類亦須兼巴豆至於腹中有塊起急以手按之便不見五更心嘈牙關撟硬惡心而清水出及夢中齧齒此謂之蟲痛宜服官局化蟲丸如史君子

之類又有室女婦人月經行先腹痛此特與諸痛不同只可服四物湯小兒身熱足冷耳及尻骨冷及眼澁者皆瘡疹候必先腹痛蓋疹子先自腸胃中出然後發於外宜服葛根升麻湯及綿煎散之類舒王觧痛字云宜通而塞則為痛此極有理凡痛須通利臓腑乃能隨其冷熱而須用巴豆大黃牽牛此最要法

大瀉腹痛

有人每日早起須大瀉二行或時腹痛或不痛空心服熱藥亦無效後有智者察之令於晚食前更進熱

藥遂安如此常服竟無恙蓋暖藥雖平旦空腹至晚藥力已過一夜陰氣何以敵之於晚間再進熱藥則一夜暖藥在腹遂可以勝陰氣凡治冷疾皆如此

暑月破腹

一曰傷暑二曰傷冷物食瓜果飲水之類三曰夏季心火旺心經熱則小水不利行大腸謂之水穀不分傷暑而瀉者心躁頭痛作渴宜服香薷飲烏金散傷冷物而瀉者腹痛水瀉穀食不化宜服暖藥如附子及理中丸二氣丹正元丹紫蘇丸之類水穀不分者宜服大順散五苓散二藥專分清濁暑月多此疾故

人多用之凡瀉不可急以熱藥止之恐成痢同上

小腹切痛

治腎氣小腹切痛元豐中丞相王郇公小腹痛不止宣差大醫攻治備至皆不效凡藥至熱如附子硫黄五夜叉丸之類用之亦不差駙馬張都尉令取婦人油頭髮燒如灰細研篩過温酒調二錢即時痛止旅

真心痛

頭心之病有厥痛有真痛手三陽之脉受風寒則名厥頭痛入連在腦者名真頭痛其五臓氣相干名厥心痛其痛甚但在心手足青者名真心痛其真心痛

者旦蔟夕死夕蔟旦死

脾疼

張思順盛夏調官都城苦熱食氷雪過多又飲木瓜漿積冷于中遂感脾疼之疾藥不釋口殊無退證累歲日甯一道人適一道人曰我受官人供固非所惜但取漢椒二十一粒浸於漿水盌中一宿漉出還以漿水吞之若是而已張如所戒明日栁才下腹即脱然更不復作類編

氷煎理中丸

泗州楊吉老名醫也　徽廟常苦脾疾國醫進藥俱

不効遂召吉老診視訖進藥　徽廟問何藥吉老對以大理中丸　上云朕服之屢矣不驗吉老曰臣所進湯使不同　陛下之疾以淂氷大過淂之今臣以冰煎此藥欲已受病之源果一二服而愈

心痛食地黃麪

崔元亮海上方治一切心痛無問久新以生地黃一味隨人所食多少擣取汁搜麵作餺飥或作冷淘良久當利出蟲長一尺許頭似壁宮後不復患劉禹錫傳信方貞元十年通事舍人崔抗女患心痛氣垂絕遂作地黃冷淘食之便吐一物可方一寸以來如蝦

蟲狀無目足等微似有口蓋爲此物所食自此頓愈麪中忌用鹽本事方

膀胱氣痛

歙縣尉宋荀甫膀胱氣作痛不可忍醫者以剛劑與之痛愈甚溲溺不通三日許學士視其脉曰投熱藥太過適有五花散一兩分爲三易其名用連鬚葱一莖茴香及鹽少許水一盞半煎七分連服之中夜下小便如墨汁一二升臍下寬㝵睡明日脉已平續用硇砂丸數日愈蓋是疾本因虛㝵不宜驟進補藥邪之所湊其氣必虛留而不去其病則實故先滌所蓄

之邪然後補之本事方

砂石淋

鄞縣尉耿夢得妻苦砂石淋十三年每溺時器中剥剥有聲痛楚不堪說命採苦杖根俗呼為杜牛膝者淨洗碎之凡一合用水五盞煎耗其四而留其一去滓以麝香乳香末少許研調服之一夕愈同上

頭垢治淋

頭垢主淋閉不通又主噎亦治勞復本草

諸瘡

瘡名不同

病者發寒熱一歲之間長幼相若或染時行變成寒熱名曰疫瘧寒熱日作夢寐不祥多生恐怖名曰鬼瘧宜用禁避厭禳之乍寒乍熱乍有乍無南方多此病名瘴瘧寒熱善飢而不能食食已肢滿腹急疞痛病以日作名曰胃瘧六腑無瘧唯胃有者蓋飲食飢飽所傷胃氣而成世謂之食瘧飲食不節變成此證有經年不差差後復發遠行久立下至微勞力皆不任名曰勞瘧亦有數年不差百藥不斷結為癥癖在腹脅名曰老瘧亦名母瘧

又

說文曰瘧寒熱並作也痁熱瘧也疾二日一發

又

凡人患瘧疾皆因傷暑治之之法當用暑藥素問瘧論有三陰三陽辨其證候各隨經而刺之寒多者用涼藥熱多者用涼藥不易之法也有積者必腹疼當用巴豆藥去其積有熱者當用小柴胡湯有寒者當用朱砂硫黄大蒜之類然瘧疾住後不可服補藥補之必再作

驢軸治瘧

療瘧無久新發無期者驢尾下軸垢水洗取汁和麪

如彈丸二枚作燒餅癰未發前食一枚至欲後食一枚（庚志）

瘖疾

毛崇甫事母葉夫人極孝葉年六十一歲病瘖旬餘憂甚每夕禱于北辰拜且泣妹立母側恍惚間有告者曰何不服五苓散持一帖付之戲視皆紅色妹曰尋常以藥不如是安可服俄着夢覺以語兄兩醫云此病蓋蘊熱所致當加朱砂於五苓散內以應神言才服罷瘖不復作

又

有宗室以恩添差通判常州郡守不甚加禮遂若痁疾久而弗愈族人士遽為鈐轄素善醫往問正聚語痁作而顛撼掖不醒盡室駭懼遽云無傷也是中心仰鬱陰陽交戰至於隕厥正四將軍飲子證也先令灼艾灸至四百壯了無蘇意於是急製藥以一大附子炮去皮臍四分之呵子四箇炮去核陳皮四箇全者洗淨不去白甘草四兩炙各自切碎為四服用水二盞薑棗各七煎去五之三藥成持飲病者初一杯灌之不納至再稍肯呑嚥三則倏起坐四服盡頓愈再稍若作一時救急如此凡病痁臨發日遂杯併服

無不神效 類編

瘧疾

瘧之病候經綸載之詳矣先寒後熱名曰寒瘧先熱後寒名曰溫瘧但熱無寒名曰癉瘧但寒無熱名曰牝瘧是皆發作有時看邪氣中於風府則間日而作邪氣客於頭項則頻日而作氣有虛實邪中異所故有早晚之異然經止論寒溫癉瘧所受之因而不及牝瘧又論溫瘧癉瘧所舍之藏而不及寒瘧意有互見𦳝明處學者究陰陽之盛衰深思以得之大抵風者陽氣也寒者陰氣也先傷於風後傷於寒即先熱

後寒先傷於寒後傷於熱即先寒後熱陰氣先絶陽氣獨發則但熱無寒陽氣先絶陰氣獨發則但寒無熱以温瘧得之於冬邪氣藏於骨髓則知寒瘧乃得之於夏邪氣客於皮膚腠理之間矣以癉瘧之氣實而不泄且不及於陰則知牝瘧乃氣虛而泄且不及於陽矣是皆不出於陰陽上下交争虛實更作也又有挾諸溪毒嵐瘴鬼邪之氣亦寒熱羸瘦延引歲月休作有時久不已變成勞瘧或結為癥瘕者名曰瘧母至於五臟三陽三陰瘧者皆因臟氣偏虛故邪氣乘而舍之其治法合隨其經絡灸刺及所用藥各不

同後學宜細詳之同類編上

病有不可補者

病有不可補者一曰瘧疾二曰狂疾三曰水氣四曰脚氣此四疾治得稍愈切不可服煖藥以峻補之如平平補藥亦須於本病上有益乃可醫餘

癥瘕

癥瘕

癥瘕之狀雖同而不動者為癥其治有法而可推移者名瘕又病輕於癥瘕不動者必死之候其誒語聲嘶挹言語而不出此人食結在腹其病寒口中常有

水出四肢洒又如瘧飲食不能鬱而又痛此食瘕也

遺積瘕

齊中尉潘滿如病小腹痛臣意診其脉曰遺積瘕也臣意即謂齊太僕臣饒内史臣繇曰中尉不復自止於内則三十日死後二十餘日溲血死病得之酒且内所以知潘滿如病者臣意切其脉深小弱其卒然浮合也是脾氣也右脉氣口至緊小見瘕氣也以次相乘故三十日死三陰俱摶者如法不俱摶者决在急期一摶一代者逆也故其三陰摶溲血如前止史記

蟯瘕

臨菑女子薄吾病甚衆醫皆以為寒熱篤當死臣意診其脉曰蟯瘕為病腹大上膚黄麄循之戚戚然臣意飲以芫花一撮即出蟯可數升病已三十日如故蟯得之於寒濕寒濕氣鬱篤不發化為蟲臣意所以知薄吾病者切其脉循尺其尺索刺麄而毛美奉髪蟲氣也其色澤者中藏無邪氣及重病史記

蛇瘕

隋有患者嘗飢而吞食則下至胸便即吐出醫作噎疾膈氣翻胃三候治之無驗有老醫任度視之曰非此三疾盖因食蛇肉不消而致斯病但揣心腹上有

心腹膨脹身體羸瘦已經二年立言診其脉曰腹内有蟲當是誤食髮爲之耳因令服雄黄須臾吐一蛇如人手小指唯無眼燒之猶有髮氣其疾乃愈

瘕

異苑曰章安有人元嘉中噉鴨肉乃成瘕病胸滿面赤不得飲食醫令服秫米須臾煩悶吐一鴨雛身啄翅皆已成就唯左脚故綴昔所食肉病遂獲差志怪曰有人得瘕病腹晝夜切痛臨終敕其子曰吾氣絶後可剖視之其子不忍違言剖之得一銅酒鎗容數合許華佗聞其病而解之便出巾櫛中藥以投鎗又

即消成酒鳥太平御覽同上

鼈瘕

景成弟長子拱年七歲時脅間忽生腫毒隱隱見皮裡一物頗肖鼈形微覺動其轉掣痛不堪忍德興古城村有外醫曰洪豆腐見之使買鮮蝦為羹以食咸疑以為瘡毒所忌之味醫竟令食之下腹未久痛即止喜曰此真鼈瘕也吾求其所好以嘗試之爾乃合一藥如療脾胃者而碾附子末二錢投之數服而消明年病復作但如前補治遂絕根本類編

鼈瘕

鼈瘕者謂腹中瘕結如鼈狀是也有食鼈觸冷不消而生者亦有食諸雜肉得冷變化而成者皆由脾胃氣虛弱而遇冷則不能尅消所致瘕言假也謂其有形假而推移也昔曾有人共奴俱患鼈瘕奴在前死遂破其腹得一白鼈仍故活有人乘白馬來看鼈白馬遂尿隨落鼈上即縮頭及尋以馬尿灌之即化為水其主曰吾將差矣即服之果如其言得差巢氏病源

痃癖

夫痃癖之病大同而小異痃者近臍左右成條大者如臂次者如弦之狀癖在兩肋之間有時而痛若皆

由陰陽不和經絡痞膈飲食停滯不得宣流邪冷之氣搏結而成也鷄峯方

京三稜治癥瘕

昔人患癥瘕死遺言令開腹取之得病塊乾硬如石文理有五色人謂異物竊取削成刀柄後因以刀刈三稜柄消成水乃知此可療癥瘕也本草

諸蟲

應聲蟲

永州通判聽軍員毛景得奇疾每語喉中必有物作聲相應有道人教令學誦本草藥名至藍而默然遂

取藍捩汁而飲之少頃吐出肉塊長二寸餘人形悉具劉襄子思為永倅景正被疾踰年親見其愈泊宅編

又

陳正敏遯齋閑覽載楊勔中年得異疾每發言應答腹中有小聲效之數年間其聲寖大有道士見而驚曰此應聲蟲也久不治延及妻子宜讀本草遇蟲不應者當取服之勔如言讀至雷丸蟲忽無聲乃頓服數粒遂愈正敏其後至長沙遇一丐者亦有是疾環而觀之甚衆因教便服雷丸丐者謝曰某貧無他技所以求衣食於人者唯藉此爾以上皆陳所記予讀

唐張鷟朝野僉載云洛州有士人患應聲語即喉中應之以問良醫張文仲張經夜思之乃得一法即取本草令讀之皆應至其所畏即不言仲乃録取藥合和為九服之應時而止乃知古有是事 百衲居士鈇圍山叢話

蚘虫

蚘虫九虫之数人腹中皆有之小兒失乳而哺早或食甜過多胃虛虫動令人腹痛惡心口吐清水腹上有青筋火煨史君子與食以殼煎湯送下甚妙然世人多於臨卧服之又無日分多不驗唯是於月初四五間五更服之至日午前虫盡下可以和胃温平藥

一兩日調理之不可多也凡蟲在人腹中月上旬頭向上中旬橫之下旬頭向下故中下旬用藥即不入蟲口所以不驗也牛馬之生子上旬生者行在母前中旬生者並肩而行下旬生者後隨之猫之食鼠亦然上旬食上段中旬吃中段下旬下段自然之理物皆由之而莫知之醫餘

五臟之虫

心蟲曰蛔脾蟲寸白腎虫如寸截絲縷肝蟲如爛杏肺蟲如蠶皆能殺人惟肺蟲為急肺蟲居肺葉之內蝕人肺系故成瘵疾咯血聲嘶藥所不到治之為難

有人說道藏中載諸虫皆頭向下唯自初一至初五以前頭上行故用藥者多取月朏以前蓋此也如療寸白用良方錫沙蕪荑檳榔者極佳五更服虫盡下白粥將息藥用石榴根濃汁半升下散三錢丸五枚本事方

九虫之狀

九虫者一曰伏虫長四分為羣虫之長二曰白虫長一寸相生至多其母長至四五寸則殺人三曰肉虫狀如爛杏令人煩滿四曰[illegible]虫其狀如蚕令人欬五曰胃虫狀如蝦蟇令人嘔噦六曰弱虫狀如瓜

辨令人多嗌七曰赤虫狀如生肉令人腸鳴八曰蟯虫至微細狀如菜虫居洞腸間多則為痔漏癰疽諸瘡無所不為九曰蚘虫長一尺貫心則殺人又有尸虫與人俱生狀如犬馬尾或如薄筋依脾而居長三寸許大害於人然多因臟虛寒勞熱而生

諸虫入耳

虫之類能入耳者不獨蜒蚰如壁虱螢火扣頭虫皂角虫皆能為害有人患腦痛為虫所食或教以桃葉為枕一夕虫自鼻出形如鷹嘴人莫識其名有人蜒蚰入耳遇其極時以頭撞柱至血流不知云痒甚不

可恐蜒蚰入耳往往食髓至盡又能滋生凡虫入耳用生油灌妙（遯齋閒覽）

誤吞水蛭

吴少師在關外嘗淂疾数月間肌肉消瘦每日飲食下咽少時腹如萬虫攢攻且痒且痛皆以為勞瘵也張銳是時在成都吴遣驛騎招致銳到興元既切脉云明日早且忍飢勿喫一物俟銳来為之計旦而天方劇暑白請選一健卒趣往十里外取行路黄土一銀盂而令厨人旋治麪将午乃淂食纔放筯取土適至於是温酒一升投土攪其内出藥百粒進於吴飲

之覺腸胃攣痛幾不堪忍急登溷鋭密使別坎一穴便掖吳以行須臾暴下如傾纖悉斗許有馬蝗千餘宛轉盤結其半已困死吳亦憊甚扶憩竹榻上移時方飡粥一器三日而平始信去年正以夏夜出師中塗渴躁命候兵持馬盂挹澗水甫入口似有物焉未暇吐之則徑入喉矣自此遂得病鋭曰蟲入人肝脾裡勢須滋生常日遇食時則聚丹田間吮咂精血飽則散處四肢苟惟知殺而不掃盡故無益也鋭以是請公枵腹以誘之此蟲喜酒又久不得上味乘飢畢集故一藥能洗空之耳吳大喜厚賂以金帛送之歸

唐志

又

寧國衛承務者唯一子忽得疾羸瘦如削醫以爲瘵疾治療無益醫劉大用問其致疾之因曰嘗以六月飲娼家醉卧桌上醒渴求水不得前有舊蒲盆水清潔舉而飲之自是疾作劉默喜密遣僕掘田間淤泥以水沃濯取清汁兩盌置几上令隨意飲衛子素厭疾苦不以穢爲嫌一飲而盡俄腸胃間攻轉攪刺久之始定續投以宣藥百粒隨即同泄下水蛭六十餘條便覺襟抱豁然劉曰此蓋盆中所誤吞也蛭入人

腹藉膏血滋養蕃育種類每粘着五臟牢不可脫然久去汙渠思其所嗜非以此物致之不能集也然后竄別以藥調補編類

又

有人因醉薄暮渴飲道傍田水自此忽患胸腹脹滿遍醫不效人亦莫識其病因幹宿客邸夜半思水飲令僕覓之僕夜捫索見有缸數隻疑店主以此貯水遂取一碗與其主飲便覺胸次豁然再索之忽覺臟腑急於店仄空地大瀉一二行平明視之所瀉乃水蛭無數繼看夜來所飲缸水乃主人刈藍作澱者其

病頓愈方思前時渴飲田水不覺誤吞水蛭在腹遂成脹痛之疾乃蛭為害令人耘田為蚰虫所齧以潑塗之無不愈也

苦寸白虫

趙子山字景高寓居邵武軍天王寺苦寸白虫為撓醫者戒云是疾當止酒而以素所躭嗜欲罷不能一夕醉於外舍歸已夜半口乾咽燥倉卒無措欲適廊廡間有甕水月色下照瑩然可掬即酌而飲之其甘如飴連盡數酌乃就寢迨曉虫出盈席覺心腹頓寬宿疾遂愈一家皆驚異驗其所由蓋寺僕日織草屨

浸紅藤根水也（廣志）

又

掘石榴東引根皮洗曝搗細不雜他味隔宿虛其腹凌晨溫酒調服妙

又

蔡定夫戡之子康積苦寸白為孽醫者使之服檳榔細末取石榴東引根煎湯調服之先炙肥豬肉一大臠寘口中嚥咀其津膏而勿食云蟲惟月三日以前其頭向上可用藥攻打餘日即頭向下縱有藥皆無益蟲聞肉香咂啖之意故空群爭赴之覺胸中如

萬箭攢攻是其候也然後飲前藥蔡悉如其戒不兩刻腹中雷鳴急登厠雖下如傾命僕以杖挑撥皆聯綿成串幾長數丈尚蠕蠕能動舉而拋於溪流宿患頓愈姑廣其傳以濟後人庚志

誤吞蜈蚣

有村店婦人因用火筒吹火不知筒內有蜈蚣藏焉用以吹火蜈蚣驚迸竄入喉中不覺下胸臆婦人求救人無措手適有人在傍云可討小豬兒一箇切斷喉取血令婦人頓喫之須臾以生油一口灌婦人遂惡心其蜈蚣滚在血中吐出繼以雄黃細研水調服

遂愈

蜒蚰及百蟲入耳

蜒蚰入耳取驢乳灌耳中當消成水百蟲入耳以桃葉火熨之卷而塞耳中立出本草

尸虫

柳子厚罵尸虫文云人有三尸虫處之腹中伺隱微失誤輒籍記日庚申幸其人之昏睡出讒於帝以求饗以是人多謫過疾癘夭死而醫經亦云能與鬼靈相通常接引外邪為害其發作之狀或沉沉默默不的知其所苦而無處不惡或腹痛脹急或螺塊踊起

5027009

或攣引腰脊或精神雜錯變證多端其病大同而小異鷄峯方

酒蛊

齊州士曾席進孺招所親張彬秀才為館舍彬嗜酒每夜必寘酒數升於床隅一夕忘設焉夜半大渴求之不可得忿悶呼躁俄傾嘔吐一物於地旦起視之見床下塊肉如肝而黃上如蜂窠猶微動取酒沃之唧唧有聲始悟平生酒病根本亟投諸火中後遂不飲丁志

醫說卷第五

210·10

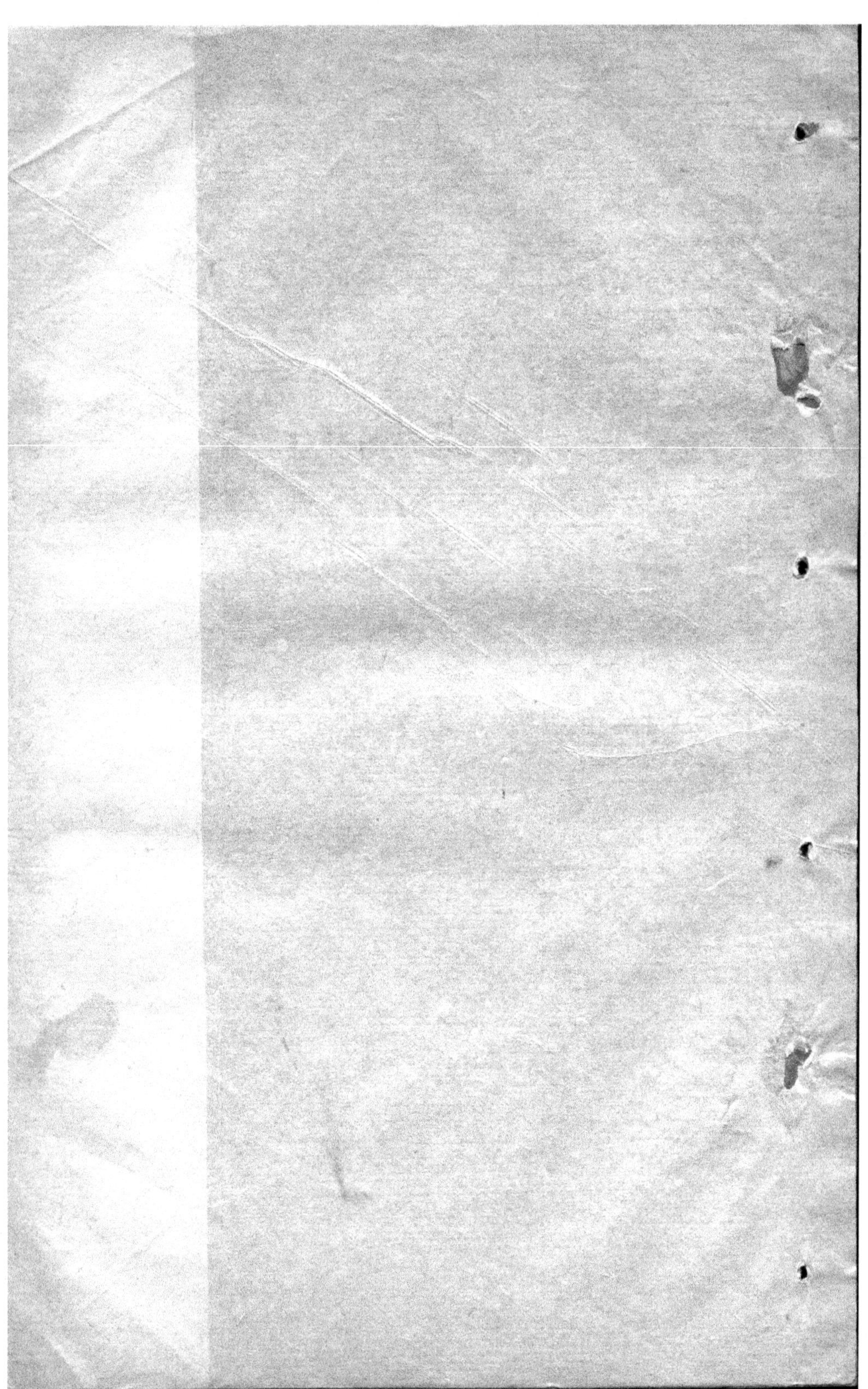

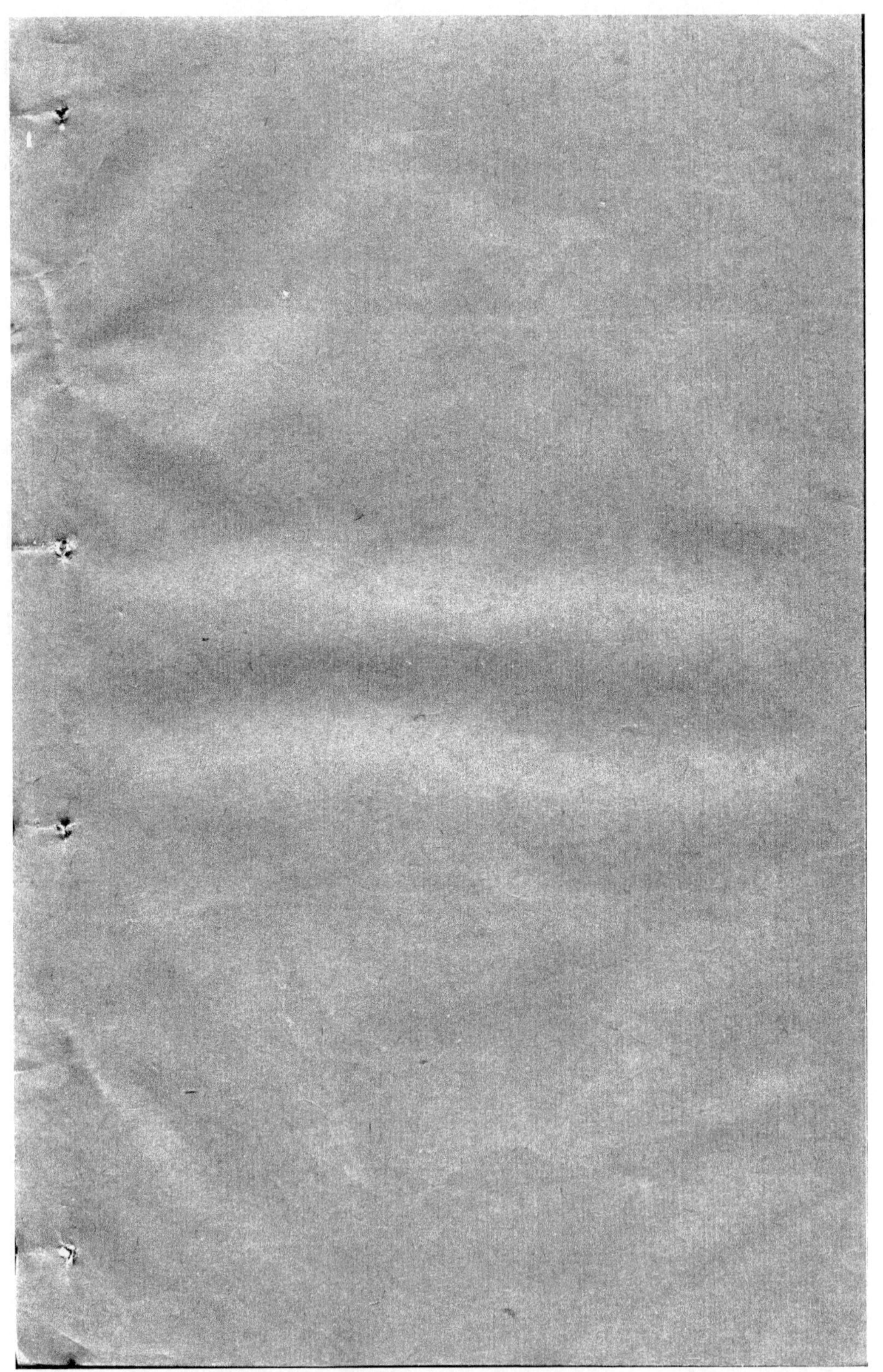

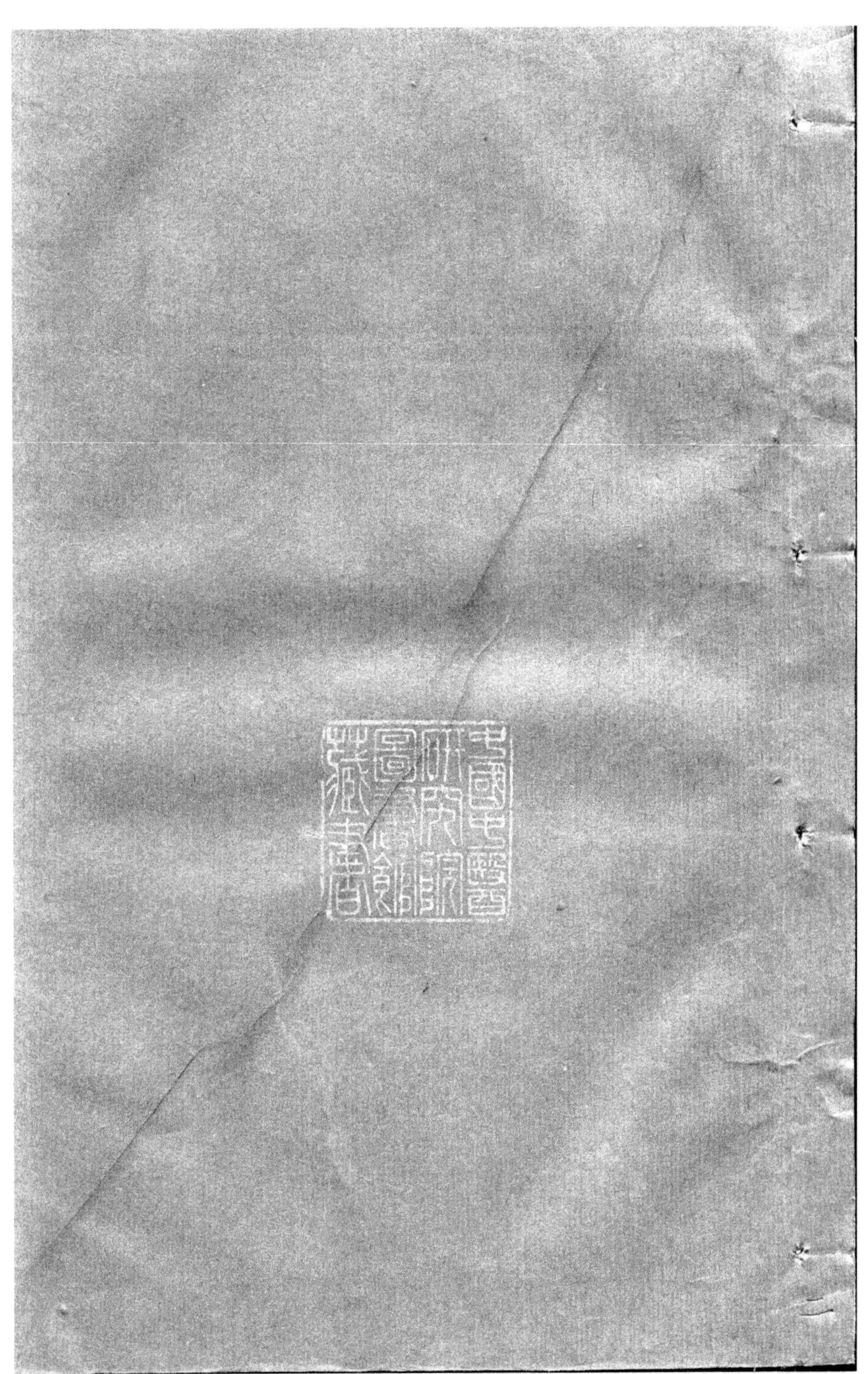
中國中醫研究院圖書館藏書

醫說卷第六

臟腑泄痢

當暑勿食生冷

當盛暑時食飲加意調節緣伏陰在内腐化稍遲又果蓏園蔬多將生噉蘇水桂漿唯欲冷飲生冷相值剋化尤難微傷即飧泄重傷則霍亂吐利是以暑月食物尤要節減使脾胃易於磨化戒忌生冷免有腹臟之疾雖盛夏冒暑難爲全斷飲冷但剋意少飲勿與生硬果菜油膩甜食相犯亦不至生病也

辨臟腑下痢

病水泄青白或黃白或米穀不化腸鳴腹痛者此傷冷也為洞泄寒中又為霍亂吐瀉其脉細弱而緊宜理中丸平胃散調中湯以溫補之盛則金液丹朝真丹主之或藥入則吐出者內陰盛也用湯者當以冷服用丸者以地漿服熱因寒用之法也

病水泄下深黃及有完穀小便赤腹脅但脹滿而不痛煩燥悶亂渴而喜飲者此傷熱也為挾熱下利其脉洪大而数宜駐車丸黃連散蘗皮湯以和之甚則三黃丸調胃承氣湯挾熱下血者蘗皮湯主之

病泄瀉色黃而有沫腸鳴腹脅脹滿時微作痛者為

冷熱不調其脉沉緊而小數也服熱藥則轉甚戊巳丸香連丸主之下部注悶裡急後重者必欲變膿血利之則愈

病暴泄注下或青白或黄白米穀或化或不化腹脅或脹或不脹或痛或不痛但噫生熟氣全不思食因與温補諸藥而後轉有異證者有所傷也或為飧泄其脉外虚而内實關脉沉且緊也宜消積丸不二丸以化之甚則用備急丸主之右不二丸用砒不可多服嘗見醫者有害又春傷以風夏必飧泄又風氣行於腸胃則暴泄下利其脉浮緩而虛也並宜服羗活安中湯胃風湯荆

黄湯訶黎散主之

病赤白下利或膿多血少或膿少血多皆爲有積或先挾熱泄瀉更服温藥因變膿血下利關脉沉緊按之有力而小疾也並宜先與消化積滞才微利過即以香連丸駐車丸戊已丸便愈化積滞用消積丸不二丸感應丸淹延惡利用朱粉丹主之集驗方

治赤白痢

有人久患痢赤白無下或純白或純赤百藥不愈者病久服藥已多治痢多用毒藥攻擊滑臟氣不和所以難愈史載之用輕清和氣藥與之遂愈後來屢有

驗其方用罌粟殻㕑炙人參白术白茯苓川芎甘草炙黄耆等分爲細末二錢水一盞生薑棗烏梅半箇煎八分温服不以時

久患泄瀉

有人久患泄瀉以暖藥補脾及分利小水百種治之不愈醫診之心脉獨弱以益心氣藥補脾藥服之遂愈盖心火也脾土也火生土脾之旺賴火之燥心氣不足則火不燥脾土受濕故令泄瀉今益心補脾而又能去濕豈有不效者

又有一種泄瀉作冷作積作心氣不足治之及服疏

黄附子甚多皆不效因服火杴丸而愈此腸胃有風冷也胃風湯兼服暖藥亦佳

又有一種脾泄瀉服泰山老李炙肝散而愈乃白芷白朮白芍藥桔梗四味也醫餘

痢有赤白

凡人患痢不問赤白脉小身涼者易安脉大身熱者難差患痢未有不腹痛者皆緣有積也暑積及熱積多患赤痢冷積多患白痢亦有腸胃有風而患赤痢者有冷熱不調而患赤白痢者暑積痢可用黃連阿膠丸綿煎散加滑石白痢可用駐車丸感應丸之類

冷熱不調用戊己丸巴豆丸子之類綿煎散入滑石治赤痢極有功又有豆飲子加減亦有功治諸般痢用之每有效官局靈砂丹亦甚奇此數藥自夏及秋皆不可闕也（同上）

鸎粟治痢

治痢以鸎粟古方未聞今人所用雖其法小異而皆有奇功或用數顆慢火炙黄爲末米飲下或去粟用殼如上法或以殼五七枚甘草一寸半生半炙大棗水煎取半碗温温呷蜀人山叟曰用殼并去核鼠查子各數枚焙乾末之飲下丸治噤口痢（泊宅編）

車前止暴下

歐陽文忠公常得暴下國醫不能愈夫人云市人有此藥三文一帖甚效公曰吾輩臟腑與市人不同不可服夫人使以國醫藥雜進之一服而愈召賣藥者厚遺之求其方乃肯傳但用車前子一味為末米飲下二錢匕云此藥利水道而不動真氣水道利則清濁分穀臟自止矣 良方

薑茶治痢

憲宗賜馬總治瀉痢腹痛方以生薑和皮切碎如粟米用一大盞并草茶相等煎服之元祐二年文潞公

得此疾百藥不效而予傳此方而愈同上

二藥治痢

鄂渚有統制王存病痢幾年無休息骨立待死逢道人令煎四物湯下駐車丸每服一百粒如服此藥減半併服之不數日頓愈近世生方

治臟腑

肉荳蔻剉作甕子入通明乳香少許復以末塞之不盡即用麪和少許裹荳蔻煨焦黄為度三物皆碾末仍以茶末對烹之大全集

半夏益脾止瀉

半夏令人唯知去痰不言益脾蓋能分水故也脾惡濕濕則濡而困困則不能制水經曰濕勝則瀉一男子夜數如廁或教以生薑一兩碎之半夏湯洗與大棗各三十枚水一升甕瓶中慢火燒為熟水時時呷數日便已

乳煎蓽撥治氣痢

獨異志唐貞觀中張寶藏為金吾長　嘗因下直歸櫟陽路逢少年畋獵割鮮野食倚樹歎曰張寶藏身年七十未嘗得一食酒肉如此者可悲哉傍有僧指曰六十日內官登三品何足歎也言訖不見寶藏異

之即時還京師時太宗苦於氣痢衆醫不效即下詔問殿廷左右有能治此疾者當重賞之寶藏嘗困其疾即具疏以乳煎蓽撥方上服之立差宣下宰臣與五品官魏徵難之逾月不進擬上疾復發問左右曰吾前飲乳煎蓽撥有功復命進之一啜又平因思曰嘗令與進方人五品官不見除授何也徵懼曰奉詔之際未知文武二吏上怒曰治得宰相不妨已授三品官我天子也豈不及汝邪乃厲聲曰與三品文官授鴻臚卿時正六十日矣其方每服用牛乳半斤蓽撥三錢匕同煎減半空腹頓服良方

臟腑祕澁

老人臟腑不可用大黄老人津液少所以祕澁更服大黄以瀉之津液皆去定須再祕甚於前只可服寬潤大腸之藥如養生必用方二仁丸是也更用槐花末煎湯淋洗亦妙風藥燥腸

又有一種風祕者當用檳榔七聖丸雖有大黄斟酌服之勿令瀉可也又有婦人産後大便祕須四五日六七日不通着出血已多津液少也濃煎紫蘇湯飲一兩盞自通更一日不通服局方大麻仁丸三十丸

腸胃流熱

腸胃流熱則糞門暴腫用蝸牛細研塗之則消

腸風痔疾

痔腸風臟毒

痔腸風臟毒一體病也極難得藥亦緣所以致疾不同雖良藥若非對病固難一槩取效常人酒色飲食不節臟腑下血是謂風毒若釋子輩患此多應飽食久坐體氣不舒而得之乃脾毒也王渙之知舒州下血不止郡人朝議大夫陳宜父令其四時取其方栢葉如春取東枝之類燒灰調二錢服而愈予得方後

官額上以治貳車吳令昇亦即效提點司屬官陳逸大夫偶來問疾具倅告以用陳公之方而獲安陳君慼額曰先人也仍須用側栢為佳道場慧禪師曰若釋子恐難用蚨不若灼艾最妙平直量骨脊與臍平處椎上灸七壯或年深更於椎骨兩傍各一寸灸如上數無不除根者又予外兄劉向為嚴掾子過之留飲詢其瘦瘠問之荅曰去歲臟毒作凡半月自分必死得一藥服之至今無苦問何藥不肯言再三扣始言只這卓子上有之乃是乾柿燒灰飲下二錢本草曰柿治腸澼解熱毒消宿血有病者宜求之素問腸

癖爲痔　泊宅編

腸風下血

人患腸風下血者何也人腸特有脂裹之厚則腸實而安腸中本無血血緣有風或有熱以消其脂腸遂薄滲入身中血初患者必服冷藥而愈服之過當則腸寒而脂愈不生其血必再作凡熱者其血鮮冷者其血青黑察其冷熱用藥可也　醫餘

酒痢

有人日逐飲酒遂成酒利骨立不食但飲酒一兩盞利作幾年矣因與香茸丸一兩服遂止蓋鹿茸能治酒

毒

臟毒下血

洛陽一女子年四十六七躭飲無度多食魚蠏攝理之方蔑如也後以飲啖過常蓄毒在臟日夜二三十度大便與臟血雜下大腸連肛門痛不堪任醫以止血痢藥不效又以腸風藥則益甚蓋腸風則有血而無腸痛如此已半年餘氣血漸弱食漸減肌肉漸瘦稍服熱藥則腹愈痛血愈下服稍涼藥則泄注氣羸粥愈減服溫平藥則病不知將朞歲醫告術窮垂命待盡或有人教服人參散病家亦不敢主張謾與服

之才一服知二服減三服膿血皆定自此不十服其疾遂愈後問其方云治大腸風虛飲酒過度挾熱下痢膿血疼痛多日不差樗根白皮人參各一兩為末二錢七空心溫服調下飲酒以溫米飲代忌油膩濕麪青菜果子甜物雞魚蒜等（衍義）

脫血

髆多青脈曰脫血尺脈緩濇謂之解㑊安臥脈盛謂之脫血臥久傷氣也

癖疸

服石疾疸

齊王侍醫遂病自煉五石服之臣意往過之遂請意曰不肖有病幸診遂也臣意即診之告曰公病中熱論曰中熱不溲者不可服五石石之為藥精悍公服之不得數溲亟勿服色將發癰遂曰扁鵲曰陰石以治陰病陽石以治陽病夫藥石者有陰陽水火之劑故中熱即為陰石柔劑治之中寒即為陽石剛劑治之臣意曰公所論遠矣扁鵲雖言若是然必審診處度量立規矩稱權衡合色脉表裡有餘不足順逆之法參其人動靜與息相應乃可以論論曰陽疾處內陰形應外者不加悍藥及鑱石夫悍藥入中則邪氣

辟矣而宛氣愈深診法曰二陰應外一陽接內者不可以剛藥剛藥入則動陽陰病益衰陽病益著邪氣流行為重困於俞始喻反忿發為疽意告之後百餘日果為疽發乳上入闕盆死此謂論之大體也必有經紀拙工有一不習文理陰陽失矣史記

病疽

齊侍御史成自言病頭痛臣意診其脈告曰君之病惡不可言也即出獨告成弟昌曰此病疽也內發於腸胃之間後五日當臃腫後八日嘔膿死成之病得之飲酒且內成即如期死所以知成之病者臣意切

其脉淂肝氣肝氣濁而静此内關之病也脉法曰脉長而弦不淂代四時者其病主在於肝和即經主病也代則絡脉有過經主病和者其病淂之筋髓裡其代絕而脉貫者病淂之酒且内所以知其後五日而癰腫八日嘔膿死者切其脉時少陽初代代者經病病去過人人則去絡脉主病當其時少陽初關一分故中熱而膿未發也及五分則至少陽之界肝與心相去五分故曰五日盡也及八日則嘔膿死故上二分而膿發至界而癰腫盡泄而死熱上則薰陽明爛流絡流絡動則脉結發脉結發則爛解故絡交熱氣已上行至頭而

動故頭痛史記

治背瘡

京師人司仲因言里人父患背瘡若負火炭晝夜呼吽其子泣於余遇道人曰子何憂之深也告之道人曰子當求不耕之地遇野人糞爲蟲鳥所殘即以杖去其糞取其下土篩而傅之乃如其言用之立愈父曰豈以氷著吾背邪吾五臟俱寒矣編類

治喉癰

楊立之自廣府通判歸楚州喉間生癰既腫潰而膿血流注曉夕不止寢食俱廢醫者束手適楊吉老來

赴郡守招立之兩子趍往邀之至熟視良久曰不須看脉已浔之矣然此疾甚異須先喫生姜片一斤乃可投藥否則無法也語畢即出子有難色曰喉中潰膿痛楚豈食生姜立之曰吉老醫術通神其言不妄試取一二片啗我如不能進屏去無害遂食之初時殊爲甘香稍復加益至半斤許痛處已寬滿一斤始覺味辛辣膿血頓盡粥餌入口了無滯礙明日招吉老謝而問之對曰君官南方多食鷓鴣此禽好喫半夏久而毒發故以姜製之今病源已清無服他藥予

記唐小説載崔魏公暴亡醫梁新診之曰中食毒僕

曰常好食竹鷄梁曰竹鷄多食半夏苗蓋其毒也命挨生姜汁折齒灌之遂復活甚與此相類類說

治癰疽

房州虞候張進本北方人因送還郡守逢道人買酒與飲得其治癰疽方寄居文録曹子病背瘡醫不能療聞進有此技試呼之進元無手訣但以成藥塗傅未旬日而愈張子溫五歲兒生瘡於鬢邊繼又發於腦後證候可憂亦以付進凡所用皆一種不過三夕二者皆平溫與之錢而問之進不復有隱謹以告但擇阿膠透徹者一兩水半升煎令消然後入號丹一

兩慢火再熬數數攪勻俟三五沸乃取出攤令極冷貯於瓶罌中如用時以毛掃布瘡四面而露其口如瘡未成則遍塗腫處良久自消切勿犯手更無他法雖一切惡瘡皆可傳治不特癰疽也同上

治癰疽方

歙丞胡權在都下遇異人授以治癰疽內托散方曰吾此藥能令未成者速散已成者速潰敗膿自去無用手擠惡肉自去不假刀砭服之之後痛苦頓減其法用人參當歸黃芪各二兩芎藭防風厚朴桔梗白芷甘草各半之皆細末別入桂末一兩令均每以三

王鐵熱酒調服以多爲妙不能飲者木香湯調然不若酒服爲奇

療癰毒

向友正元仲之子也淳熙八年爲江陵支使攝公安令癰發於胷臆間極瘡半載弗愈嘗浴罷痛甚委頓而臥似夢非夢見一丈夫儼揖而坐傳藥方與之曰用没藥瓜蔞乳香三味酒煎服之且言桃源許軫知縣亦有此方但不用瓜蔞若用速効宜服此友正敬謝即如所戒不終劑而愈後詣玉泉禱雨瞻壽亭関王像盖所感夢者因繪祀于家編類

發背無補法

諺云背無好瘡但生於正中者為真發背虞奕侍郎皆中生小瘡不悟只以藥調補數日不疼不癢又不滋蔓疑之呼外醫發二百壯已無及此公平生不服藥一年來唯覺時時手脚心熱疾作既不早治又服補藥何可久也泊宅編

結癰

五臟不和則九竅不通六腑不和則留結為癰

頓療背疽

楊州名醫楊吉老其術甚著其郡一士人狀若有疾

懨懨不聊莫能名其何等病苦往謁之楊曰君熱証已極氣血消鑠且盡自此三年當以背疽死不可為也士人不樂而退聞茅山觀中一道士於醫術通神但不肯以技自名未必為人致力士人心計交切乃衣僮僕之服詣山拜之願執薪水之役於席下道士喜留寘弟子中誨以讀經晝夜祗事左右頤旨如意歷兩月久覺其與常隸別呼扣所從來始再拜謝過以實白之道士咲曰世間那有醫不得的病汝試以脉示我纔診脉又咲曰汝便可下山吾亦無藥與汝但日日買好梨一顆喫如生梨已盡則取乾者泡湯

飲之仍食其滓此疾自當平士人歸謹如其戒經一歲復往楊州楊醫見之驚其顏貌腴澤脉息和平謂之曰君必遇異人不然豈有痊安之理士人以告楊立具衣冠焚香望茅山設拜蓋自咎其學之未至也北瑣夢言載醫者趙鄂云一朝士疾危只有一法請剩喫消梨不限多少如沮嚼不及捩汁而飲或希萬一用其言遂愈此意正同類編

雲母膏愈腸癰

楊介吉老者泗州人以醫述聞四方有儒生李氏子棄業願娶其女以授其學執子壻禮甚恭吉老盡以

精微告之一日有靈壁縣富家婦有疾遣人邀李生以往李初視脉云腸胃間有所苦耶婦曰腸中痛不可忍而大便從小便中出醫者皆以為無此證不可治故欲屈子李曰試為籌之若姑服我之藥三日當有瘳不然非某所知也下小丸子數十粒煎黃芪湯下之富家依其言下膿血數升而愈富家大喜贈錢五十萬置酒而問曰始切脉時覺芤脉現於腸部王叔和脉訣云寸芤積血在胸中關内逢芤腸裡癰此癰生腸内所以致然所服者乃雲母膏為丸爾切脉至此可以言醫矣李後以醫科及第至博士李植元

秀即其從子也（王仲言餘話）

釘疽

張嗣伯嘗聞屋中呻吟聲嗣伯曰此病甚重乃往視之見一老姥稱體痛而處處有黯黑無數嗣伯還煑斗餘湯送令服之服訖痛勢愈甚跳投床者無數須臾所黯處皆拔出釘長寸許以膏塗瘡口三日而復云此名釘疽也（史記）

癰瘡

唐李勣嘗疾醫診之曰得鬚灰服之方止太宗遂自翦鬚燒灰賜服之復令傳癰瘡立愈故白樂天云翦

鬚燒藥賜功臣　仁宗皇帝賜呂夷簡古人有語髭可治疾今朕翦鬚與之合藥表朕意也

脚氣

脚氣痞絶

唐柳柳州纂救死三方云元和十二年二月得乾脚氣夜半痞絶左脅有塊大如石且死困塞不知人三日家人號哭滎陽鄭洵美傳杉木湯服半食頃大下三次氣通塊散用杉木節一大升橘葉一升無葉以皮代大腹檳榔七箇合而碎之童子小便三大升共煮一升半分二服若一服得快利停後服已前三

曰死矣會有數者得不死恐他人不幸有類予病故傳馬（本事方）

脚氣無補法

脚氣乃風毒在内不可不攻故先當瀉之

脚心如中箭

道士王裕曰有忽患脚心如中箭發歇不時此腎之風毒瀉腎愈（泊宅編同上）

脚氣

今人謂之脚氣者黄帝所謂緩風濕痺也千金云頑弱名緩風疼痛爲濕痺

治閉結并脚氣

饒醫熊彦誠年五十五歲病前後便溲不通五日腹脹如鼓同輩環視皆不能措力與西湖妙果僧慧月相善遣信邀至訣别慧月驚馳而往過釣橋逢一異客風姿瀟灑出塵揖之曰方外高士何孑孑走趨如此慧月曰一善友久患閉結勢不可療急欲往問客曰此易事也待奉施一藥即脫靴入水探一大螺而出曰事濟矣持抵其家以鹽半匕和殼生擣碎置病者臍下一寸三分用寬帛緊繫之仍辦觸器以須其通慧月未深以為然姑巽謝之熊昏不知人妻子聚

泣諸醫知無他策謾使試之曾未安席砉然纍下醫愧歎而散慧月歸訪異人無所見矣熊後十六年乃終白石董守約以脚氣攻注為苦或教之搥數螺傳兩股上便覺冷氣遶下至足既而亦安類編

附船愈脚氣痛

顧安中廣德軍人久患脚氣筋急腿腫行履不淂因至湖州附船中有一袋物為腿酸痛遂將腿閣袋上微覺不痛及筋寬而不急乃問梢人袋中何物應曰宣瓜自此脚氣頓愈名醫錄

脚氣

有人病兩脚躄不能行轝詣佗佗望見云巳飽針灸服藥矣不須復看脉便使解衣點背數十處相去或一寸或五寸縱邪不相當言灸此各十壯灸瘡愈即行後灸處夾脊一寸上下行端直均調如引繩也漢書華佗傳

旋復根汁能續筋

筋斷復續者取旋復根絞取汁以筋相對取汁塗而封之即相續如故蜀兒如逃走多刺筋以此續之百不失一

漏

時康祖心漏

時康祖大夫患心漏二十年，當胷數竅血液長流，屢訪名醫，皆云不可治，或云竅多則愈損，閉此則慮穴他岐，當存其一二猶為上策。坐此形神枯瘁，又積苦腰痛，行則傴僂，不飲酒，雖雞魚蟹蛤之屬亦皆不向口。湻熙四年，有通判溫州郡守韓子溫見而憐之，為檢聖惠方載腰痛一門冷熱二證示之，使自擇。康祖報曰：康祖年老久羸，安敢以熱，始作寒冷治療。取一方用鹿茸者服之，踰旬痛減，仍覺氣宇和暢，遂一意專服，悉屏他藥，洎月餘腰屈復伸，無復呼痛，心漏亦愈以告醫者皆不能測其所以然後九年康祖自鎮江通判淛秩造朝訪子温則精力倍昔飲啖無所忌步履輕捷云漏愈之後日勝一日子温書吏吳洪擕亦苦是疾使就求藥服之旬有二日而差其方本只治腰痛用鹿茸去毛酥炙微黄附子炮去皮臍皆二兩鹽花三分為末棗肉為丸三十丸空心酒下已志

鱔魚覆漏

馬提刑記醫先祖忠肅公天聖中以工部尚書知濠州家有媪病漏蓋十餘年一日老兵掃庭下且言前数日過市有醫自遠來道瘡漏可治特頃刻之力耳

嫗曰吾更醫多矣不信也其黨有以白忠肅公者即為召醫視之曰可治無疑須活蟮一條竹針五七枚醫乃擲蟮於地蟮困屈盤就盤以竹針貫之覆瘡良久取視有白蟲數十如針著蟮醫即鈐置杯水中蠕動如線復覆之又得十餘枚如是五六醫者曰蟲固未盡然其餘皆小蟲竟請以常用藥傳之時家所有檳榔黃連為散傳之醫未始用藥明日可以乾艾作湯投白礬末二三錢洗瘡然後傳藥蓋老人血氣冷必假艾力以佐陽而艾性亦能殺蟲也如是者再即生肌不一月當愈既而如其言醫曰瘡一月不治則

有蟲蟲能蠕動氣血亦隨之故瘡漏不可遽合則結痼實蟲所為又曰人每有疾經月不痊則必傳虛勞婦人則補脾血小兒則防驚癖二廣則并治瘴癘醫無名於世而治疾有效亦良醫也又其言有理故併録之良方

鱔漏

有人脚肚上生一瘡久遂成漏凡經二年百藥不效自度必死一村人見之云此鱔漏耳但以石灰二三并百沸湯泡薰洗如覺瘡痒即是也病者如其言用灰湯淋洗果痒竟用此洗不三兩次遂乾

蟻漏

有婦人項下忽生一塊腫漸緣至妳上腫起莫知何病偶用刀刺破出清水一碗日久瘡不合有道人見之曰此蟻漏耳緣喫飯悞食蟻淂此詢婦人云當來喫飯時群蟻緣飯上遂之用湯泡喫往往有死蟻在中不覺食之道人云此易治但用穿山甲數片燒存性為末敷瘡上遂愈蓋蟻畏穿山甲故也

犬齧瘤淂針

處士蒯亮言其所知頟角患瘤醫為剖之淂一黑石棊子巨斧擊之終不傷缺復有足脛生瘤者因至親

家為猘犬所齧正齧其瘡其中得為針百餘枚皆可用疾亦愈稽神錄

灸鼠漏

柳休祖者善卜筮其妻病鼠瘻積年不差垂命休祖遂卜得頤之復按卦合得姓石人治之當獲鼠而愈也既而鄉里有奴姓石能治此病遂灸頭上三處覺佳俄有一鼠還前而伏呼犬咋之視鼠頭有三灸處妻遂差拾遺方

李生虱瘤

浮梁李生得癢疾隱起如覆盂無所痛苦背唯奇癢

不可忍飲食日以削無能識其為何病醫者秦德立見之曰此虱瘤也吾能治之取藥敷其上又塗一綿帶繞其圍經夕瘤破出虱斗許皆蠢蠕能行動即日體輕但有一小竅如箸端不合時時虱涌出不勝計竟死予計唐小說載賈魏公鎮滑臺日州民病此魏公云世間無藥可治唯千年木梳燒灰及黃龍浴水乃能治爾正與此同

腫瘻

病腫

先痛而後腫氣傷形也先腫而後痛形傷氣也風勝

則動熱勝則腫燥勝則乾寒勝則浮濕勝則濡

腫

釋名曰腫鍾也寒熱氣所鍾聚也太平御覽

陰腫如升

治男子陰腫大如升核痛人所不能治者擣馬鞭草塗之

小兒陰腫

小兒陰囊忽虛腫痛以生甘草湯調地龍糞輕輕塗之

小兒熱毒遊腫

破草鞋人亂頭髮燒灰醋和傅治熱毒遊腫本草

婦人陰腫堅硬

用枳實半斤碎炒令熱故帛裹熨冷則易之同上

脚腫

有男子六十一歲脚腫生瘡忽食豬肉不安醫以藥利之稍愈時出外中風汗出後頭面暴腫起紫黑色多睡耳輪上有浮泡小瘡黄汁出乃與小續命湯加羌活一倍煎服之遂愈本草衍義

背腫

楊愔患背腫馬嗣明以鍊石塗之便差鍊石法以粗

黄色石如鵝鴨卵大猛火燒令赤内醇醋中自有石屑落頻燒至石屑盡曝乾擣篩醋和塗腫上無不愈

傅腫

仁宗在東宫苦腮腫用赤小豆末傅之遂愈或云可療發背洞微志

癭

說文曰癭頸瘤也典術曰服食天門冬治癭除百病太平御覽

井錫鎮癭

汝州人多病頸癭彼境地饒風沙沙入井中飲其水

則生癭故今房間人家井以錫為井欄皆以夾錫錢鎮之或沉錫其中則飲着免此患華亭有一老僧昔行脚河南管下寺僧僮僕無一不病癭時有洛僧共寮每食取攜行苔臛同飡經數月僧項贅盡消若未嘗病寺僕訝嘆乃知海岸鹹物能除是疾癸志

中毒

中仙茅附子毒

鄭長卿資政說少時隨父太宰官懷州一將官服仙茅遇毒舌脹出口漸大與肩齊善醫環視不能治一醫獨曰尚可救少緩無及矣取小刀務其舌隨破隨

合㽞至百数始有血一點許醫喜曰無害也舌應時消縮小即命煮大黄朴硝数椀連服之并以藥末掺舌上遂愈又盖諒郎中說其兄訦因感疾醫盧生勸服附子酒每生切大附二兩浸以斗酒旦起輒飲一杯服之二十年後再為陝西漕使諒自太學歸過之南樂縣拉同行中途晚寒訦飲一杯竟復令温半杯比酒至自覺微醉乃與妻使飲行数里妻頭腫如斗唇裂血流下駐道傍呼隨行李職醫告之李使黑豆菉豆各数合生嚼之且煎湯併飲至暁腫始消訦仍服之不輟到長安数月失明遂致仕時方四十二歲

中蕈毒

崇寧間蘇州天平山白雲寺五僧行山間得蕈一叢甚大擷而煑食之至夜發吐三人急採鴛鴦草生啖遂愈二人不甚肯啖吐至死此草藤蔓而生對開黃白花傍水依山處皆有之治癰疽腫毒尤妙或服或傅皆可今人謂之金銀花又曰老翁須本草名為忍冬（並出已志）

中鱔鼈蝦蟆毒

頃有一士人好食鱔魚及鼈與蝦蟆嘗云此三物不可殺大者有毒殺人蝦蟆小者亦令人小便祕臍下

澈疼有至死者宜以生豉一大合投新汲水半椀浸令豉水濃頓服之即差茅亭客話

中荳腐毒

人有好食豆腐因中其毒醫治不效偶更醫醫至中途適見做豆腐人家夫婦相爭因問之云今早做豆腐妻誤將蘿蔔湯置腐鍋中今豆腐更不成蓋腐畏蘿蔔也醫得其說至病家凡用湯液率以蘿蔔煎湯或調或嚥病者遂愈

諸果有毒

諸果有毒桃杏雙仁有毒五月食未成核果令人發

癰疽癤及寒熱又夏秋果落地為惡虫緣食之令人患九漏桃花食之令人患淋李仁不可和鷄子食患内結不消本草衍義

中斑鳩毒

浙人王夫人忽日面上生黒斑數點日久滿面俱黒遍求醫治不效忽遇一草澤醫云夫人中食毒爾某治之一月平復後覔其方止用生姜一斤切碎研汁將滓焙乾却用姜汁煮糊元問其故云夫人日食斑鳩蓋此物日嘗食半夏苗是以中其毒故用生姜以解之名醫録

中蜈蚣毒

有中蜈蚣毒者以烏鷄屎水調塗咬處大蒜塗亦效又畏蛞蝓不敢過所行之跡觸其身即蜈蚣死故取以治蜈蚣毒桑汁白鹽塗亦效本草衍義

藥反中毒

治諸藥相反中毒用蠶退燒灰細研一錢冷水調下頻服取效雖面青脉絶腹脹吐血服之即活

中魚毒

虞侍郎蘇州人平生喜食生魚鱠中年病腹堅倒身不得每發疼痛幾死累治不效一善醫切脉曰侍郎

右關脉伏伏為積聚有生冷之積成癥在腹則疼不可忍可以藥取之令用橄欖汁吞丸子藥数粒晚下利一盆許是魚鱠縷前一截皆成魚矣從此遂安名醫録

中萵菜毒

王舜求云萵菜出咼國有毒百虫不敢近蛇虺過其下誤觸之則目暝不見物人有中其毒者唯生姜汁解之歷齋閒覽

魚魫遇蠱毒

南海魚有石首者蓋魚枕也取其石治以為器可載

飲食如遇蠱毒器必𡁠裂其效甚著福唐人製作尤精人但翫其色而鮮能識其用同上

中酒毒

飲酒中毒經日不醒者用黑豆一升煮取汁温服一小盞不過三服即愈令人謂之中酒是也服食反誤方

天蛇毒

太子中允關杞曾提舉廣南西路常平倉行部邕管一吏人為虫所毒舉身潰爛有一醫言能治使視之曰此為天蛇所螫疾已深不可為也乃以藥傅其瘡有腫起處以鉗拔之有物如蛇凡取十餘條而疾不

起又予家祖塋在錢塘西溪嘗有一田家忽病癩通身潰爛號呼欲絶西溪寺僧識之曰此天蛇毒爾非癩也取木皮煮飲一斗許令其恣飲初日疾減半兩三日頓愈驗其木乃今之秦皮也然不知天蛇何物或云草間黄花蜘蛛是也人遭其螫仍為露水所濡乃成此疾露涉者亦當戒也

中挑生毒

興化人陳可大知肇慶府肋下忽腫起如生癰癤狀頃刻間其大如盌識者云此中挑生毒也俟五更以菉豆細嚼試着香甜則是已而果然乃擣川升麻為

細末取冷熟水調二大錢連服之遂利下瀉出生葱数莖根鬚皆具腫即消縮煎平胃散調補且食白粥後亦無它又雷州民康財妻爲蠻巫林公榮用鷄肉挑生値商人楊一者善醫療與藥服之才食頃吐積肉一塊剖開筋膜中有生肉存已成鷄形頭尾觜翅悉肖似康訴於州州捕林置獄而呼楊生令具疾證用藥其畧云凡喫魚肉瓜果湯茶皆可挑初中毒覺胸腹稍痛明日漸加攪刺滿十日則物生能動騰上則胸痛沉下則腹痛積以瘦悴此其候也在上膈則取之其法用熟茶一甌投膽礬半錢於中候礬化盡

通口呷服良久以鷄翎探喉中即吐出毒物在下膈即瀉之以米飲下鬱金末二錢毒即瀉下乃擇人參白术各半兩碾末同無灰酒半升納瓶内慢火熬半日許度酒熟取溫溫服之日一盞五日乃止然後飲酒如其故丁志

誤飲蛇交水

陳齋郎湖州安吉人因步春渴掬澗水兩口嚥之數日覺心腹微痛日久疼甚服藥無效醫診之云心脾受毒今心脉損甚齋郎荅云去年步春渴飲澗水得此醫云齋郎喫却蛇交水蛇在澗邊遺下不淨在澗

水內蛇已成形在齋即腹中食其心而痛也遂以水調雄黃服下果下赤蛇數條皆能走也名醫錄

中蜘蛛毒

治蜘蛛咬一身生絲羊乳一物飲之貞元十年崔員外從質云目擊有人被蜘蛛咬腹大如孕婦其家棄之乞食於道有僧遇之教飲羊乳未幾日而平本草

中山鷄鷓鴣毒

南唐相馮延巳苦腦中痛累日不減太醫令吳廷紹密詰厨人曰相公平日嗜何等物對曰多食山鷄鷓鴣廷紹曰吾得之矣投以甘豆湯而愈蓋山鷄鷓鴣

皆食烏頭半夏故以此解其毒出南唐書

中石斑魚子毒

誤喫石斑魚子吐不止者取魚尾草研汁服少許立止魚尾草又名樚木根形似黃荊八月間開紫花成穗葉似水楊無大樹經冬不凋漁人用以藥魚

地漿治菌毒

四明溫台間山谷多生菌然種類不一食之間有中毒往往至殺人者蓋蛇毒氣所薰蒸也有僧教掘地以冷水攪之令濁少頃取飲皆得全活此方見本草陶隱居注謂之地漿亦治楓樹菌食之咲不止一俗言食笑菌者居山間不可不知此法

解毒

解蠱毒呪方

頃有朝官與一高僧西遊道由歸峽程頓荒遠日過中餒甚抵小村舍聞其家畜蠱而勢必就食去住未判僧曰吾有神呪可無憂也食至僧閉目誦持俄見小蜘蛛延緣盌吻僧曰速殺之於是竟食無所損其呪曰姑蘇啄摩耶啄吾知蠱毒生四角父是穹窿窮毋是舍耶女眷屬百萬千吾今悉知汝摩訶薩摩訶是時同行者競傳其本所至無恙別傳解毒方用豆豉七粒巴豆去皮二粒入百草霜一處研細滴水丸

菉豆大以茅香湯吞下七丸又泉州一僧治金蚕毒云才覺中毒先吮白礬味甘而不澁次嚼生豆不腥著是也但取石榴根皮煎汁飲之即吐出活蟲無不立愈李晦之云以白礬牙茶擣為末冷水服凡一切毒皆可治併載于此以貽後人辛志

解砒毒

凡人誤服生砒唯單飲生油以吐為度則其毒氣自消不能為害

治蠱毒

嘉祐中范吏部道為福州守日揭一方於石云凡中

蠱毒無論年代遠近但煮一鴨卵插銀釵於內併噙之約一食頃取見釵卵俱黑即中毒也其方用五倍子二兩硫黄末一錢甘草三寸一半炮出火毒一半生丁香木香麝香各十文輕粉三文糯米二十粒共八味瓶內水十分煎取七候藥面生皺皮爲熟絹濾去滓通口服病人平正仰卧令頭高覺腹中有物衝心者三即不得動若出以盆桶盛之如魚鰾之類乃是惡物吐罷飲茶一盞瀉亦無妨旋煮白粥補忌生冷油膩鮓醬十日後服解毒圓三兩丸經旬平復丁木麝三香價嘉祐中十文今言之數倍乃可爾類編

解藥毒

王仲禮嗜酒壯歲時瘡癰發于鼻延于顙心甚惡之服藥弗效僧法滿使服何首烏丸當用二斤適墳僕識草藥乃掘得之其法忌鐵器但入砂鉢中藉黑豆蒸熟既成香味可人念所蒸水必能去風澄以頮面初覺極熱漸加不仁至晚大腫眉目耳鼻渾然無別望之者莫不驚畏王之母高氏曰凡人感風癩非一日積吾兒遇毒何至於是吾聞生姜汁赤小豆能解毒山豆根黑蚌粉能消腫亟命僕擣捩姜汁以三味為末調傅之中夜腫退到曉如初蓋先採何首烏擇

焉不精爲狼毒雜其中以致殀撓也同上

解毒

凡中藥毒及一切諸毒從酒得者難治言酒性行諸血脉流徧身體也因食得者易治言食與藥俱入於胃胃能容雜毒又逐大便泄出毒氣毒氣未流於血脉故易愈也解諸食毒爛嚼生甘草嚥之則毒吐出瑣碎錄

蟹解漆毒

乾道五年襄陽有刼盜當死而特旨貸命黥配者州牧慮其復爲人害既受刑又以生漆塗其兩眼囚行

到荊門已盲不見物寄禁長林縣獄以待傳送適有村叟以事在獄中憐而語之曰汝明日去時倩防送着往蒙泉石灰尋石蟹搗碎之濾汁滴眼內滌當隨汁流散瘡亦愈矣如其言訪得一小蟹用之留三日而行目睛如初畧無少損予妹壻朱晞顏時以當陽尉攝邑令親見之丙志

獸能解藥毒

名醫言虎中藥箭食清泥野豬中藥箭豗薺苨而食雉被鷹傷以地黃葉帖之又礜石可以害鼠張鷟曾試之鼠中如醉亦不識人知取泥汁飲之須臾平復

鳥獸虫物猶知解毒何況人乎被矢中者以甲虫末傳之

蛛為蜂螫

處士劉易隱居王屋山嘗於齋中見一大蜂罥於蛛網蛛縛之為蜂所螫墜地俄頃蛛鼓腹破裂徐徐行入草齧芋梗微破以瘡就齧處磨之良久腹漸消輕躁如故自後人有為蜂螫者挼芋梗傳之而愈

保靈丹

往時川蜀俗喜行毒而成都故事歲以天中重陽時開大慈寺多聚人物出百貨其間號名藥世者於是

有於窗隙間呼賣藥一歡識其意亟授以千錢乃從窗隙度藥一粒號解毒丸或一粒可救一人命夫迹既叵測故時多疑出於神仙政和間　祐陵以仁聖惠天下嘗即上清寶籙宮之前新作兩亭左曰仁濟主給藥治疾苦右曰輔正主符水除邪祟因遂詔海内凡藥之治病彰彰有驗者悉索其書方而上之焉於是成都守臣監司奉命相共窮其狀乃得售解毒丸家蓋世世相行毒者為仇害故匿其迹非有所謂神仙者既據方修治得其合即并藥奏御下殿中省上曰朕自施天子所服御以濟元元毋煩其司也繇

5027010

是殿中省群醫諸師驗其方則王氏博濟方之保靈丹爾當是時猶子行適領殿中監事故獨得其詳吾落南来用是藥嘗救兩人食胡蔓草毒得不死蓋不可不書百衲居士鈇　圖山叢談

醫説卷第六

中國中醫研究院圖書館藏

210·10

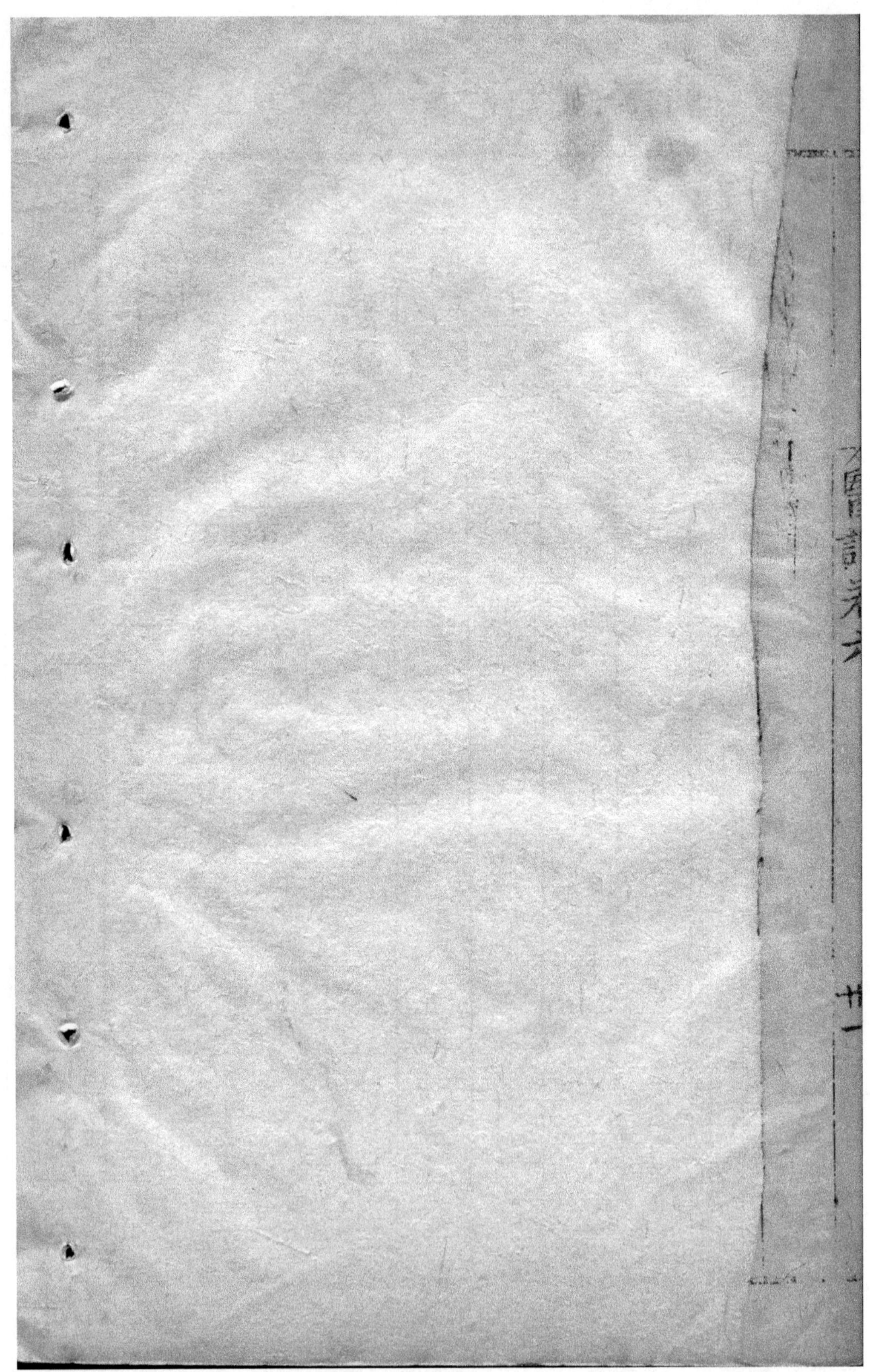

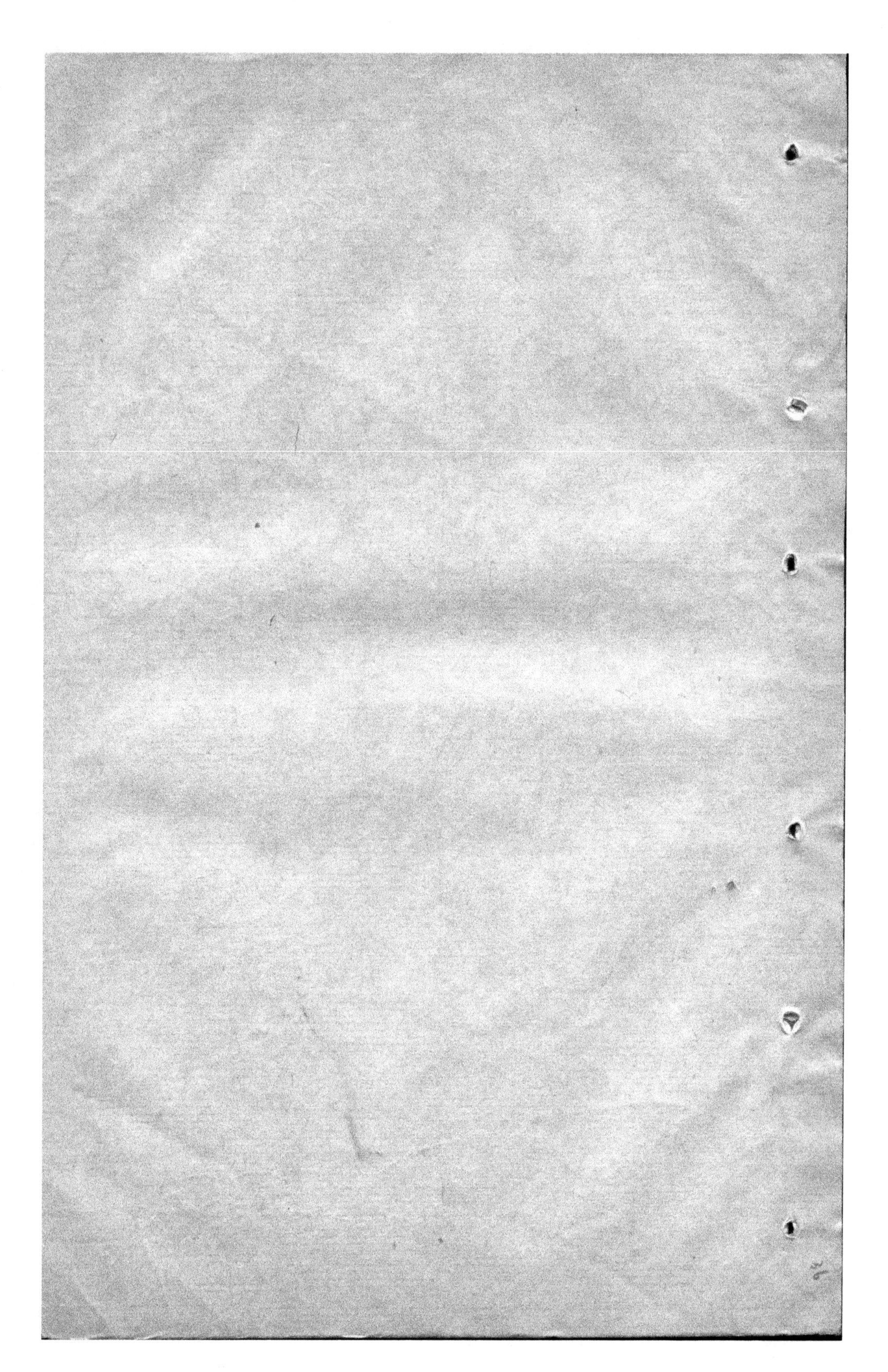

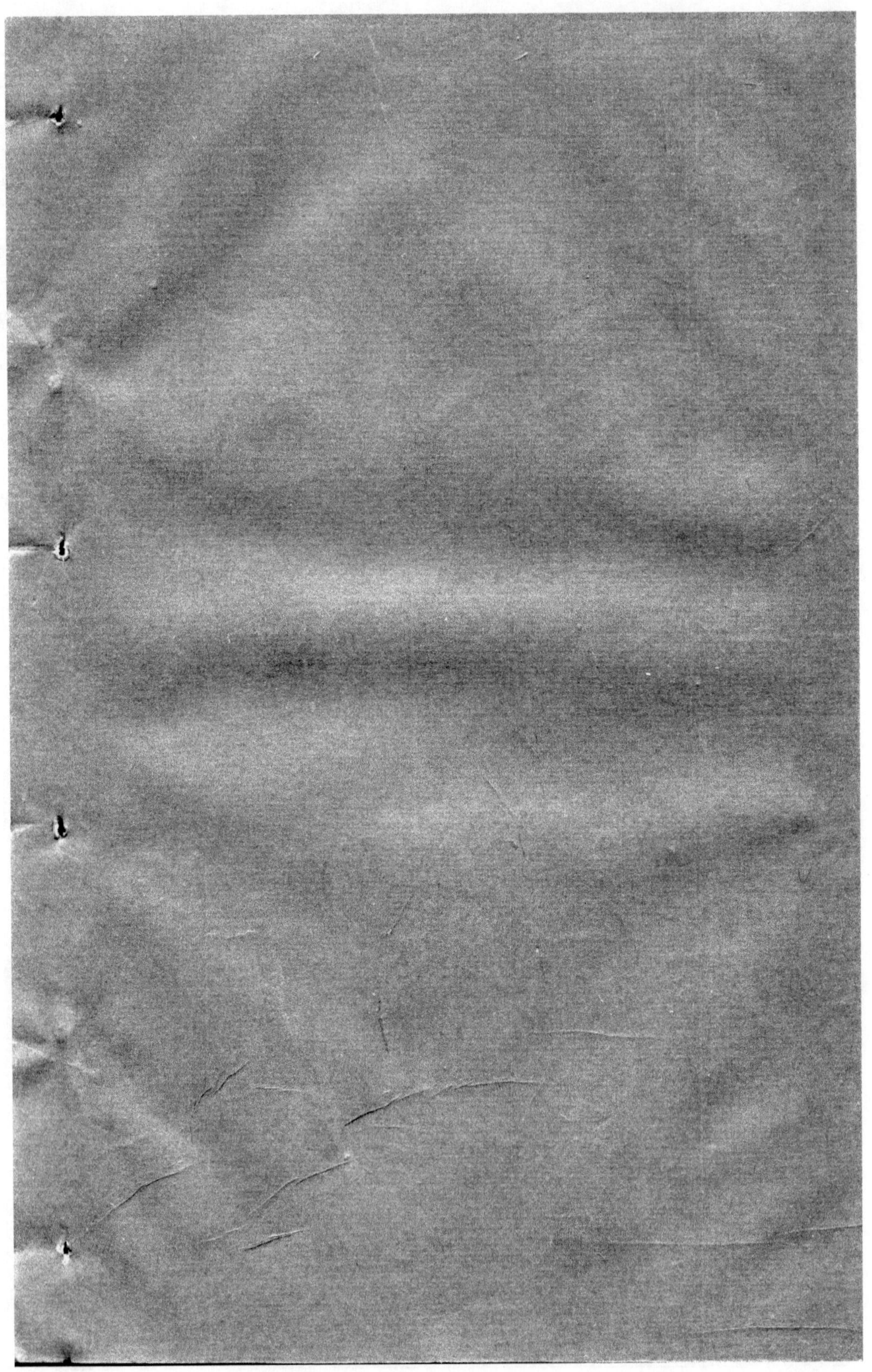

中國中醫研究院圖書館藏書
三

醫說卷第七

積

傷滯用藥不同

人之臟腑皆因飲食以成疾病而脾胃最易受觸蓋日用飲食稍或過多則停積難化冷熱不調則吐嘔泄痢膏粱者為尤甚蓋口腹恣縱不能謹節近用消化藥或論飲食既傷於前難以毒藥反攻其後不復使巴豆硇砂等藥止用麴蘗之類不知古今立方用藥各有主對麴蘗止能消化米穀如肉食有傷則非硇砂阿魏等藥不能治也至於魚蟹過傷則須用橘

皮紫蘇生薑果菜有傷則須用丁香桂心水飲傷則須用牵牛芫花固不可一槩論也必審其所傷之因對用其藥則無不愈其間輕重則隨患人氣血以增之而已又有一等虚人沉積不可直取當以蠟匱其藥蓋蠟能粘逐其病又可久留腸胃間又不傷氣能消磨至盡也又有脾氣偏虚飲食遲化者止宜助養脾胃則自能消磨不須用尅化藥耳病久成積聚癥瘕者則須用三稜鼈甲之類寒冷成積者輕則附子厚朴重則礬石硫黄瘀血結䃂者則用大黄桃仁之類醫者宜審詳之鷄峯方

物能去積

厨家索粉與棹粉不得近杏仁近之則爛頃有一兵官食粉多成積師以積氣丸杏仁相半細研為丸熟水下五丸數服愈

摭醫新說中有一人食黄鶵子過多因食鷄子羮遂愈

有傷粽子成積用麯末加少木香為散鹽湯調數日口中聞酒香其積遂散三說醫餘

食藥

凡人服食藥一例須用巴豆是大不然養生必用方

主張青木香丸亦未是也巴豆去積牽牛利水不可一槩用且如傷食米麪之類當用神麯麥蘖傷肉當用阿魏氣不快當用丁木香青陳皮磨積塊用三稜蓬朮取熱積用大黄冷積用巴豆痰積用牽牛血積用乾漆蚘其大畧也更以意推之同上

治積用藥

大抵治積或以所惡者攻之以所喜者誘之則易愈如硇砂水銀治肉積神麴麥蘖治酒積水蛭虻蟲治血積木香檳榔治氣積牽牛甘遂治水積雄黄膩粉治涎積礞石巴豆治食積各從其類也若用羣隊之

藥分其勢則難取効許嗣宗所謂獵不知兎廣絡原野冀一人獲之術亦踈矣須是認淂分明是何積聚然後增加用藥不爾反有所損嗣宗自謂不著書在臨時變通也本事方

攧撲打傷

墮馬

齊中郎破石病淳于意診其脉告曰肺傷不治當後十日丁亥溲血死即後十一日溲血而死破石之病淂之墮馬僵石上所以知破石之病者切其脉淂肺陰氣其来散數道至而不一也色又乘之所以知其

墮馬者切之得番陰脉番陰脉入虛裡乘肺脉肺脉散者固色變也乘之所以不中期死者師言曰病者安穀則過期不安穀則不及期其人嗜黍黍主肺故過期所以溲血者診脉法曰病喜養陰處者順死喜養陽處者逆死其人喜自静不躁又久安坐伏几而寢故血下泄史記

治臂臼脫

許元公入京師赴省試過橋墮馬右臂臼脫路人語其僕曰急與接入臼中若血漬臼則難治矣僕用其說許已昏迷不覺痛遂僦轎舁歸邸或曰非錄事田

馬騎不能了此疾急召之至已入暮秉燭視其面曰尚可治乃施藥封腫處至中夜方甦達旦痛止去其封損處已白其青瘀乃移在臼上自是日日易之腫直至肩背於是以藥下之瀉黑血三升五日復常遂淂赴試蓋用生地黃研如泥木香為細末以地黃膏攤紙上摻木香末一層又再攤地黃貼腫上此正治打撲傷損及一切癰腫未破令內消云類說

龜獻奇方治傷折

治腕折傷筋損疼痛不可忍用生地黃一斤切藏瓜薑糟一斤生薑四兩切右都炒令均熱以布裹罨傷

折處冷則易之曾有人傷折宜用生龜尋捕一龜將殺患人忽夢見龜告言曰勿相害吾有奇方可療夢中授此方本事方

打撲傷損

打撲傷損瘀血凝滯氣因不行關竅皆不通大便必閉壯者可服洗心散老弱者可服七聖檳榔丸有此証須問臟腑所打處疼痛着傷處大痛大便三兩日不通然後可下前二藥若大便不閉傷處不甚猛痛則不可服宜服沒藥乳香當歸之類醫餘

又

長安石史君嘗至通衢有從後呼其姓第着曰吾無求於人念汝有難故來救汝出一紙卷授石曰有難則用之乃治折傷內外損方書也明年因趨朝坐馬為它馬所踶折足墜地又踢一臂折家人急合此藥且灌且裹至夜半痛止後手足皆堅牢如未傷時方本出良方用川當歸鉛粉各半兩鵬砂二錢同研令細濃煎蘇木汁調服一大匕損在腰以上先喫淡粥半盞然後服藥在腰以下即先服後食仍頻頻呷蘇木汁別作糯米粥入藥末拌和攤紙上或絹上封裹傷處如骨碎用竹木夾定仍以紙或衣物包之其妙

如头故表而出之

又

汀洲瀝口市民陳公誦觀音甚誠慶元初出行攧折一足忍痛呌菩薩越三晝夜夢一僧拄杖持鉢登門問所苦陳曰不幸折一足貧無力訪醫只得告佛僧曰不用過憂吾有一方接骨膏正可治汝便買藁豆粉於新鐵鍋內炒令真紫色旋汲井水調成稀膏然後厚傅損處須教遍滿貼以白紙將杉木縛定其效如神不必假它劑也語訖僧忽不見陳亦寤如方修製用之則愈

又

紹興五年秋湖口人林四因日暮馳馬顛墜折一足骨斷招外醫莫肯治經旬痛甚偶一道人過門聞其聲而問故入視曰續筋接骨非敗龜殼不可此郤難得要生者甚易道人曰但得殻足矣生與敗等也語訖即退林招衆醫議之皆云一足所傳多少龜殻灰可辦遂去五里許江畔一大龜身濶二尺常跧伏泥中捕而脫其殻燒灰傳損處計其收效賢於小者百数也時已昏暮未暇遣僕半夜後鄰室張翁者夢烏衣人來訪自通為江畔老龜哀捄甚切云林四折足

醫欲殺吾取殼以療傷望一言救護張謝曰老夫愚鈍如何施力烏衣云只煩丈人詣林氏諭衆醫曰往日曾有龜傳一方於人而贖命者用淹藏瓜糟罨斷處次將杉板夾縛定方書亦嘗載記如更增赤小豆一味拌入糟中然後板夾不過三日即十全安愈願翁便為告之異日當圖報遂去黎明張如所戒林與醫皆喜而從之應期而驗編類

熱葱涕愈傷指

崔給事頊在澤潞與李抱真作判官李相方以毬杖按毬子其軍將以杖相格乘勢不能止因傷李相拇

指并爪甲擘裂遽索金瘡藥裹之強坐頻索酒飲至數盃已過量而面色愈青忍痛不止有軍言取葱新折者便入溏灰火煨熟剥皮擘開其間有涕取罨損處仍多煨取續續易熱者凡三易之面色却赤斯須云已不痛凡十數度易熱葱并涕裹纏遂畢席咲語本事方

打撲傷

自然銅有人飼折翅鴈後遂飛去令人打撲傷研極細水飛過同當歸没藥各半錢酒調頻服仍以手摩痛處本草衍義

墮馬折足

定州人崔務墮馬折足，醫令取銅末和酒服之，遂瘥。平及亡後十餘年改葬，視其脛骨折處有銅末束之。朝野僉載

蹴鞦韆墜損

宣和中有一國醫忽承快行宣押就一佛刹醫内人，限目今便行，鞭馬至則寂未有人，須臾卧轎中扶下一内人，快行送至，奉旨取軍令狀，限日下安痊。醫診視之，已昏死矣。問其從人，皆不知病之由，皇恐無地。良久有二三老内人至，下轎環而泣之，方得其實，云

因蹴鞦韆自空而下墜死醫者云打撲損傷自屬外科欲申明又恐後時參差不測再視之微覺有氣忽憶藥篋中有蘇合香丸急取半兩於火上焙去腦麝用酒半升研化灌之至三更方呻吟五更下惡血数升調理数日得痊予謂正當下蘇合香丸蓋從高墜下必挾驚悸血氣錯亂此藥非特逐去瘀血而又醒氣醫偶用之遂見功效此藥居家不可闕如氣逆鬼邪殗殜傳尸心痛時疾之類皆治良方載甚詳須自合為佳耳本事方

搓衮舒筋

道人詹志永信州人初應募為卒隸鎮江馬軍二十二歲因習驍騎墜馬右脛折為三團頓且絕軍師命舁歸營醫救鑿出敗骨数寸半年稍愈扶杖緩行骨空處皆再生獨脚筋攣縮不能伸既落軍籍淪於乞丐經三年遇朱道人亦舊在轅門問曰汝傷未復初何不求醫對曰窮無一文豈堪辦此朱曰正不費一文但將大竹管長尺許鑽一竅繫以繩掛於腰間每坐則置地上舉足搓滾之勿計工程久當有效詹用其說兩日便覺骨髓寬暢試猛伸足與常日差遠不兩月病筋悉舒與未墜時等予頃見丁子章以病足

故作轉軸踏脚用之其理正同不若此為簡便無力者立可辨也癸志

奇疾

簷溜盥手龍伏藏指爪中

石藏用近世良醫也一士人嘗因承簷溜盥手覺為物觸入指爪中初若絲髮然既數日稍長如線伸縮不能如常始悟其為龍伏藏也乃見石藏用扣其治療之方藏用曰此方書所不載也當以意去之歸可末蜣蜋塗指庶不深入胃膜冀他日免震厄之患士人如其言後因迅雷見火光遍身士人懼急以針究

指果見一物自針究所躍出不能為災李定云滕樞密翰苑叢記

婦人異疾

陳子直主簿妻有異疾每腹脹則腹中有聲如擊鼓遠聞於外行人過門者皆疑其家作樂腹脹消則鼓聲亦止一月一作經十餘醫皆莫能名其疾

嘔物如舌

鎮陽有士人嗜酒日嘗數斗至午夜興一發則不可過家業殘破一夕大醉嘔出一物如舌初視無痕竅至欲飲時眼偏其上矗然而起家人沃之以酒立盡

至嘗日所飲之數而止遂投之猛火急爆烈為十數片士人自此惡酒

消食籠

齊諧記云江夏郡安陸縣隆安中有人姓郭名坦兄弟三人大兒得天行病後遂大能食日食斛米家給五年貧罄後乞至一家門前已得飯復乞於其後門此家語云汝已就前門食那得復從後門來其人答曰實不知君家有兩門腹大飢不可忍後門有三畦薤一畦大蒜因啗之兩畦便大悶極臥地須臾大吐吐一物似籠因出地漸小主人持飯出不復食遂擬

飯著所吐物上即消成水此病尋差東坡物類相感志

孕婦腹内鍾鳴

有一貧士於常賣處買得一藥方冊子其間有一方能治婦人腹内鍾鳴用鼠竄前畚土研羅為末每服二錢麝香湯調其疾立愈

髀瘡兒出

異苑曰晉時長山趙宣母姙身如常而髀上痒搔之成瘡兒從瘡出母子平安太平御覽

人面瘡

江左有商人左膊上有瘡如人面亦無他苦商人戲

滴酒口中其面亦赤色以物食之亦能食食多則覺膊內肉脹起或不食之則一臂痺有善醫者教其歷試諸藥金石草木之類悉試之無苦至貝母其瘡乃聚眉閉口商人喜曰此藥可治也因以小葦筒啓其口灌之數日成痂遂愈然不知何疾也本事方

啖物不知飽

江南逆旅中一老婦啖物不知飽徐德占過逆旅老婦愬以飢其子耻之對德占以蒸餅啖之盡二竹簣約百餅猶稱饑不已日飯一石米隨則利之飢復如故京兆醴泉主簿蔡繩予友人也亦得飢疾每飢立

須啖物稍遲則頓仆悶絕懷中嘗置餅餌雖對貴官遇飢則便齕啖繩有美行博學有文為時聞人終以此不幸無人識其疾每為之哀傷筆談

腸癢疾

傳舍人忽淂腸癢之疾至劇時往往對衆失笑吃吃不止此疾古人所未有邇齋閒覽

王氏異疾

汾州王氏淂病右脇有聲如蝦蟇常欲手按之不則聲聲相接羣醫弗能辯聞晉陽山人趙巒善診巒曰此因驚氣入于臟腑不治而成疾故常作聲王氏曰

因水邊行次有大蝦蟆躍高數尺驀作一聲氏忽驚叫便覺右脇牵痛自後作聲尚似蝦蟇也戀乃與六神丹服之來日取下青涎類蝦蟆之衣遂差戀言診王氏脉右関脉伏結積病也故止作積病治用六神丹泄之而愈名醫録

療飢蟲

從政郎陳樸富沙人母高氏年六十餘得飢疾每作時如蟲齧心即急索食食罷乃解如是三四年畜一猫極愛之常置於傍猫叫則取魚肉和飯以飼一日猫適叫命取鹿脯自嚼而啖猫至于再覺一物上觸

喉閒引手探得之如姆指大墜于地頭尖扁類蝎沙魚身如蝦殼長八寸漸大倖兩指其中盈實剖之腸肚亦與魚同有八子胎生蠕蠕若小鰍人皆莫能識爲何物蓋聞脯香而出高氏疾即愈

小兒魃病

千金論凡小兒有魃病者是娠婦被惡神導其腹中令兒病也魃小鬼也其病証微微下利寒熱往來毫毛鬢髮鬇鬡不悅者是也宜服龍膽湯凡婦人先有小兒未能行而母更有娠使兒飲此乳亦作魃也令兒黃瘦骨立髮落壯熱也保生方

足面奇方

趙先生字子固母劉氏年幾八十左足面一瘡下連大指上連外踝以至臁骨每歲輒数發發必兼旬累月昏暮癢甚爬搔移時出血如泉呻吟痛楚殆不可忍夜分即漸已明日復然每一更藥則瘡轉大而劇百試不驗如是二十餘年淳熙甲辰仲冬之末先生為太府丞一夕母病大作相對悲泣無計困極就睡夢四神僧黙坐一室旁有長榻先生亦坐因而嗟嘆一僧問其故先生荅之以實僧曰可服牛黄金虎丹又一僧云朱砂亦好既覺頗驚異試取藥半粒強服

之良久腹大痛舉家且悔倏而下礌磈物如鐵石者數升是夕瘡但微癢不痛而無血數日成痂自此遂愈朱砂之說竟不復試先生因圖僧像如所夢者而記其事金虎丹方出和劑本治中風痰涎壅塞所用牛黃龍腦膩粉金箔之類皆非老人所宜服今乃取奇效意此疾積熱臟腑而發於皮膚歲久根深未易蕩滌故假涼劑以攻之不可以常疾論也神僧之夢蓋誠孝所感（百一選方）

產後腸癢

針線袋主婦人產後腸中癢不可忍以袋安所卧褥

下無令知之本草

氈氣薰面腫

張德俊云頃年和倅餘杭人將赴官因蒸降眞木犀香自開氈面作氈面上爲熱氣所薰即浮腫口眼皆爲之閉更數醫不能治最後一醫云古無此證請以意療之於是取僧寺久用炊布燒灰存性隨傳隨消不半月而愈蓋以炊布受湯上氣多反用以出湯毒亦猶以鹽水取鹹味爾醫者之智亦可喜百一方

蛟龍病

古有患者飲食如故發則如癲面色青黃小腹脹滿

狀如妊孕醫者診其脉與證皆異而難明主療忽有一山叟曰聞開皇六年灞橋有人患蚘病蓋因三月八日邊水食芹菜得之有識者曰蚘蛟龍病也為龍遊於芹菜之上不幸食之而病也遂以寒食餳每劑五合服之數劑吐出一物雖小但似蛟龍狀而有兩頭其病者依而治之獲愈名醫錄

疑病

何解元陳留人也一日會飲於趙修武宅酒至數盃忽見盞底有似一小蛇嚥入口亦不覺有物但每每思而疑之日久覺心疼自思小蛇長大食其五臟明

竿又因舊會趙宅恰才執盃又見小蛇乃放下盞細看時趙宅屋梁上掛一張弓却是弓梢影在盞中因此解疑其心疾遂無乃致疑而成病也（同上）

產婦腹中癢

箭簳及鏃主婦人產後腹中癢安所卧蓆下勿令婦人知（本草）

食鱠吐蝦蟆

永徽中崔爽者每食生魚三斗乃足於後飢作鱠未成爽忍飢不禁遂吐一物如蝦蟆自此之後不復能食鱠矣（宣室志）

瘡破雀飛

金州防禦使崔堯封有親外甥李言吉着左目上臉忽癢而生一小瘡漸大長如鴨卵其根如弦恒壓其目不能開堯封每患之他日飲之酒令大醉遂剖去之言吉不知覺也贅既破中有黄雀鳴噪而去聞奇錄

蛇在皮中

華佗別傳曰瑯琊有女子右股上有瘡癢而不痛愈而復作佗曰當得稻糠色犬一頭繫馬脛走出五十里斷頭向癢乃從之須臾有蛇在皮中動以鐵錐横貫引出長三尺許七日便愈東漢注又獨異志所載與此相類

怪石鏡

在日南國之西南有石鏡方數百里光明瑩徹可鑒五臟六腑亦名仙人鏡國人若有疾輙照其形遂知起病某臟採藥餌之無不差者

冷疾

直閤將軍房伯玉患冷疾夏日常複衣張嗣伯為之診曰卿熱須以水發之非冬月不可至十一月令二人夾捉伯玉解衣在石上取冷水從頭澆之盡二十斛伯玉口噤家人哭請止不可又盡水百斛伯玉始能動見背上彭彭有氣俄而起伯玉曰熱不可忍乞

冷飲嗣伯以水與之一飲一斗遂差史記

人漸縮

世有奇疾者吕縉叔以制誥知潁州忽得疾但縮小臨終僅如小兒古人不曾有此疾終無人識

視直如曲

有一人家妾視直物如曲弓弦界尺之類視之皆如鈎醫僧奉真親見之二說筆談

寒熱注病

又有婦人長病經年世謂之寒熱注病冬月中華佗令坐石槽中平旦用冷水汲灌云當滿百始七十灌

冷戰欲死佗令滿數至八十灌熱氣乃蒸出囂囂然高二三尺滿百灌佗乃使燃火温牀厚覆衣良久汗洽出着粉燥便愈

剖腹視脾

又有人病腹中攻痛十餘日鬢髮墮落華佗曰是脾半腐可剖腹治也使飲藥令卧破腹就視脾果半腐壞以刀斷之割去惡肉以膏傳之即差魏太祖聞而異之召佗常在左右太祖苦頭風每作心亂目眩佗鍼鬲隨手而愈

大怒病差

又有一郡守病華佗以其為人甚怒則差乃多受其貨而不加功無何弃去留書罵之守果大怒令人追殺守子知之囑吏勿逐瞋恚吐黑血數升而愈三說魏志

蒸之得汗

晉書曰張苗雅好醫術善消息診處陳廩丘得病連服藥發汗汗不出衆醫云發汗不出者死自思可蒸之如中風法温氣於外迎之必得汗也復以問苗云曾有人疲極汗出卧簟中得冷病苦憎寒諸醫與散四日凡八過發汗汗不出苗乃燒地布桃葉於上蒸之即得大汗便於被下傳粉身極燥乃起即愈廩丘

如其言果差

視胎已死

魏志曰甘陵相夫人有娠腹痛不安方淂六月佗視脉曰胎已死矣使人手摸知所在在右則女在左則男人云在左於是為湯下之果下男形則愈

死枕愈病

齊書曰徐嗣伯常有傴人患滯冷積年不差嗣伯為診之曰尸注也當淂死人枕煑服之乃愈於是往古塚中取枕枕已一邊腐闕服之即差後秣陵人張景年十五腹脹而黃衆醫不能療以問嗣伯此石蚘爾

極難療當得死人枕煑服之依語煑枕以湯投之得大利并蚘虫頭堅如石者五升病即差後沈僧翼患眼痛又多見鬼物以問嗣伯嗣伯曰邪氣入肝可覓死人枕煑服之服竟可埋枕於故處如其言又愈王晏問之曰三病不同而皆用死人枕而俱差何也答曰尸注者鬼氣伏而未起故令人沉滯得死人枕促之魂氣飛越不得復附體故尸注可差石蚘者久蚘也醫療既癖蚘蟲轉堅世間藥不能遣所以須鬼物驅之然後可散故令煑死人枕也夫邪氣入肝故使眼痛而見魍魎應須邪物以鉤之故用死人枕也氣

因枕去故復埋於冢間也太平御覽

病悲思

州監軍病悲思郝允告其子曰法當甚悸即愈時通守李宋卿御史嚴甚監軍內所憚也允與其子請于宋卿一造問責其過失監軍皇怖汗出疾乃已邵氏聞見錄

轂獨氣

殿中丞姚程腰脊痛不可俛仰郝曰轂獨氣也當食發怒四肢受病傳於大小絡中痛而無傷法不當用藥以藥攻之則益痛須一年能偃仰二年能坐三年

則愈矣後三年果愈同上

兒生腎縮

思村王氏之子生七日兩腎縮一醫云硫黄茱萸研大蒜塗其腹仍以菌草蛇床子薰之遂愈蓋初生受寒氣而然也瑣碎錄

飲水得疾

有黄門奉使交廣回周顧謂曰此人腹中有蛟龍上驚問黄門曰卿有疾否曰臣馳馬大庾嶺時當大熱困且渴遂飲水覺腹中堅痞如石周遂以消石及雄黄煑服之立吐一物長數寸大如指視之鱗甲具投

之水中俄頃長數尺復以苦酒沃之如故以器覆之明日已生一龍矣上甚訝之明皇雜錄

誤吞金鐶

張成中漢上人有女七八歲因將母金鐶子一隻剔齒含在口中不覺嚥下胷膈疼不可忍憂惶無措忽銀匠來見某有藥可療歸取藥至米飲抄三錢令服來早大便取下後問之乃羊脛炭一物為末爾名醫録羊脛炭亦治誤吞錢妙

飛絲入眼

飛絲入人眼令人睛漲白突出痛不可忍即以新筆

両三管濡好墨運睛上則飛絲纏筆而出即安

蛇蟲獸咬犬傷

白芷治蛇齧

臨川有人以弄蛇貨藥為業一日方作場為蝮所齧即時殞絕一臂之大如股少頃遍身皮脹作黃黑色遂死有道人方旁觀出言曰此人死矣我有一藥能療但恐毒氣益深或不可治諸君能相與證明方敢為出力衆咸竦踊勸之乃求錢二十文以往才食頃奔而至命汲新水解裹中藥調一升以杖抉傷者口灌入之藥盡覺臍中搰搰然黃水自其口出腥穢逆

人四體應手消縮良久復故其人已能起與未傷時無異遍拜觀者且鄭重謝道人道人曰此藥不難得亦甚易辨吾不惜傳諸人乃香白芷一物也法當以麥門冬湯調服適事急不暇姑以水代之吾今活一人可行矣拂袖而去郭邵州沿得其方嘗有鄱陽一卒夜直更舍為蛇齧腹明旦赤腫欲裂以此飲之即愈夷堅志

被毒蛇傷

有人被毒蛇傷良久已昏困有老僧以酒調藥二錢灌之遂蘇及以藥滓塗咬處良久復灌二錢其苦皆

去問之乃五靈脂壹兩雄黄半兩爲末爾有中其毒者用之無不驗本草衍義

辟蛇毒

南海地多蛇而廣府治尤甚某侍郎爲帥聞雄黄能禁制蛇毒乃買數百兩分貯絹囊掛於寢室四隅經月餘日卧榻外常有黑汁從上滴下臭且腥使人穿承塵窺之則巨蟒横其上死腐矣於是盡令撤去障蔽死者長丈許大如柱旁又得十數條皆蟠蚪成窠穴他屋所驅放者合數百自是官舍爲清類納

蛇蟲所傷

凡蛇傷蟲咬倉卒無藥去處以大藍汁一碗雄黄末二錢調均點在所傷處併令細細服其汁神驗如無藍以靛花青黛代之

山林日用法

每欲出時用雄黄一桐子大火上燒烟起以薰脚棚草屨之類及袍袖間即百毒不敢侵害邪祟遠避集驗方同上

治蚰蜒咬

浙西軍將張韶為蚰蜒所咬其形如大風眉鬢皆落每聞蚰蜒鳴於體有僧教以濃作鹽湯浸身數遍差

蜘蛛齧

蜘蛛齧者雄黃末傅之朝野僉載

猫傷

猫兒傷研薄荷汁塗之百一選方

馬咬

被馬咬者燒鞭稍灰塗之蓋取其相服也

蜈蚣咬

蜈蚣蛟取蜘蛛一枚咬處安當自飲毒蜘蛛死痛未止更著生者孫真人

惡蛇螫

趙延禧云遭惡蛇所螫處帖蛇皮便於其上文之引去毒氣即止

壁鏡咬

壁鏡咬醋磨大黄塗之

又

壁鏡毒人必死用白礬治之太平廣記用桑柴灰汁三度沸取調白礬為膏塗瘡口即善兼治蛇毒

蠶咬

蠶咬人毒入肉取苧汁塗之今以苧近蠶則蠶不生也本草

治諸獸傷

馬咬用獨顆栗子燒灰貼鼠咬用麝香吐調塗或用猫毛燒灰裛之猫咬用薄荷汁塗狗咬傷涎入瘡令人昏悶者浸椒水調茵草末塗豬咬松脂鎔作餅子貼又屋溜中泥塗春末夏初狂犬咬人即令狂過百日乃得免當終身禁食犬肉若食蠶蛹其毒亦發定不可救宜忌之右先去却惡血灸瘡中十壯明日以後日灸一壯百日乃止忌酒每七日擣韭汁飲一二盞

猘犬所傷

沈約宋書曰張收嘗為猘犬所傷醫云宜食蝦蟇膾收甚難之醫含咲先嘗收因此乃食瘡亦即愈

犬傷

犬傷人量所傷大小爛嚼杏仁沃破處以帛繫定至差無苦（本草衍義）

又

遇惡犬以左手起自寅吹一口氣輪至戌揞之犬即退伏（瑣碎録）

虎犬咬

虎犬咬人摻礬內瘡中裹之止痛立愈

蠆螫

魏志曰彭城夫人夜之厠蠆螫其手呻吟無賴華佗令温湯漬手數易湯常令暖其旦則愈（太平御覽）

蝎螫

礬石一兩醋半升煎之投礬末於醋中浸螫處井底泥傅亦愈

蠼螋妖蟲

蠼螋妖蟲也隱於牆壁間尿射人之影令人遍體生瘡如湯火所傷治法用烏雞翅毛燒灰油調傅以雞者百蟲所畏故能治之（瑣碎錄）有人苦此用雞子大頭剜小竅取白塗四畔愈

湯火金瘡

大黄療湯火瘡

建昌士人黄襲字昭度云有鄉人為賈泊舟潯陽月下髣髴見二人對語曰昨日金山修供甚盛吾往赴之飲食皆血腥不可近吾怒庖者不謹漬其手鼎中今已潰爛矣其一曰彼固有罪子責之亦太過曰吾比悔之顧無所及其一曰何難之有吾有藥可治但擣生大黄以米醋調傅瘡上非惟愈痛又且滅瘢兹方甚良第無由使聞之爾賈人適欲之金山聞其語意冥冥之中假手以告遂造寺中詢之乃是夜有設

水陸者庖人揮刀誤傷指血落食中恍惚之際若有人掣其手入鑊內痛楚徹骨號呼欲死賈人依神言療之二日愈夷堅志

醋泥塗火燒瘡

北夢瑣言記火燒瘡方云孫光憲家人作煎餅一婢抱孩子擁爐不覺落火爐上遽以醋泥塗之至曉不痛亦無瘢痕宜知俗說亦不厭多聞良方

湯火瘡

劉寄奴為末先以糯米漿鷄翎掃傷着處後摻藥末在上並不痛亦無痕大凡湯着急以鹽末摻之護肉

不壞然後用藥傳之至妙（本事方）

湯火瘡禁用冷

凡被湯火燒者初謹勿以冷物及井下泥尿泥及寒淋搨之其熱氣得冷則却深搏至骨爛入筋也所以人中湯火後若攣縮者良由此也（巢氏病源）

治湯火呪

俚巫多能持呪語而蹈湯火者元仲弟潯其訣爲人拯治無不立差呪云龍樹王如来授吾行持北方壬癸禁火大法龍樹王如來吾是北方壬癸水收斬天下火星辰千里火星辰必降急急如律令呪畢即握

真武印吹之即用少許冷水洗雖火燒手足成瘡亦可療類編

斂金瘡口

斂金瘡口止疼痛用劉寄奴一味為末摻金瘡口裡宋高祖劉裕微時伐狄見大蛇長數丈射之傷明日復至聞有杵臼聲往覘之見青衣童子數人於榛中搗藥聞其故荅曰我王為劉寄奴所射合藥傅之帝曰吾神何不殺荅曰寄奴王者不死不可殺帝叱之皆散收藥而反每遇金瘡傅之良驗寄奴高祖小字也本草方

治金瘡

周宓班緣捕海寇被寇以提刀所傷血出不止分明筋如斷骨如折用花蘂石散掩之血不止痛亦不定有兵士李高言某在軍中被人中傷欲死見統領與藥一貼名紫金散掩之血止痛定明日瘡靨如鐵遂安又無瘢痕後告統領求此方只用紫藤香竈尾鎌刮下石碾碾細傅之救却萬千人也名醫錄　紫藤香即降之最佳者

又

温州有匠人造屋失脚墜地地上有鏇頭竪柱傍脚

痃被傷血如湧出村中無藥有僧道光於門扇上撮得壁塵掩定血止痛定兩日便靨堅問道光壁塵如何治得金瘡曰古人用門桯塵者然也

火氣入脚生瘡

有婦人因冬間向火兩股上遂成瘡其汁淋漓人無識者後見一人云然皆因火氣入内生然但用黄栢皮為末摻之立愈果如其言後又再作適無黄栢用薄荷煎塗之立愈

漆澆成瘡

往年蕪湖二漆圬相爭其一人以漆一桶自頭澆其

一人患瘡垂死有人教以鐵店磨鐵槽中泥塗之即愈以蟹黄塗之亦愈瑣碎録

田舍試驗之法

藕皮散血起自庖人牽牛逐水近出野老麵店蒜虀乃是下蛇之藥路邊地菘而為金瘡所秘本草

治箭鏃不出

孫真人云治箭鏃在咽喉胷膈及鍼刺不出以螻蛄擣取汁滴上三五度箭頭自出

食忌

鼠盗忌食

夜藏飲食於器中覆之不密鼠欲盜食不可得環器而走涎墮器中食之者得黃疾通身如蠟鍼藥難治

食胡羊肉不可食松子

淡食

鹽傷筋醋傷骨淡飯吃了肥木腯多言損氣多記損心多怒傷精多哭傷神

飲食不可露天

凡飲食不可放在露天恐飛絲墮飲食中食之令人咽喉生泡急以白礬巴豆燒灰吹入口內或急擦即

雜忌

茅屋漏水墮諸脯肉上食之成癥結及暴肉作脯不肯乾者祭神肉無故自動蜘蛛及行蜂落食肉上凡食無故色變脯腊入火炙不動不淂火而自動者皆能殺人不可食之夜卧當耳勿有孔吹即耳聾遠行疲乏而來勿入房成五勞旦起勿開目洗面令人目澁失明父淚母淚不淂墮子目中即精破生翳脩真祕訣

勿過食

某見數老人飲食至少其說亦有理內侍張茂則每食不過麄飯一醆許濃膩之物絶不向口老而安寧

年八十餘卒陸每勸人必曰旦暮少食無大飽王皙龍圖造食物必至精細食不盡一器食包子不過一二枚爾年八十卒臨老尤康強精神不衰王為予言食取補氣不飢即已飽生衆疾至用藥物消化尤傷和也劉元秘監食物尤薄僅飽即止亦年八十而卒劉監尤喜飲酒每飲酒更不食物啖少果實而已循州蘇侍郎每見某即勸令節食言食少則臟氣流通而少疾蘇公貶瘴鄉累年近六十而傳聞亦康健無疾蓋得此力也蘇公飲酒而不飲藥每與客食未飽公已捨七筋張太史明道雜記

食鼈不可食莧

方書言食鼈不可食莧溫革郎中因併啖之自此苦腹痛每作時幾不知人疑鼈莧所致而未審乃以二物令小蒼頭食之遂得病與革類而委頓尤劇未幾遂死舁其尸置馬廐未斂也忽小鼈無數自九竅涌出散走廐中唯遇馬溺者輒化為水華聞自臨視猶聚衆鼈以馬溺灌之皆即化為水於是革飲馬溺遂差或云白馬溺尤良溫革字叔皮（鎖碎錄）

食蟹反惡

陳正卿云頃年與一承局同航船承局者為舟中人

言嘗為同官差往邑國見白蟹不論錢因買百錢浮数十枚痛飲大嚼且食紅柿至夜忽大吐繼之以血昏不醒人病垂殆同邸有知其故者憂之忽一道人云唯木香可解但深夜無此藥偶有木香餅子一帖試用之病人口已噤遂調藥灌即漸漸甦省吐定而愈百一選方

銅器不可盖食

銅器盖食器上汗滴食中令人發惡瘡內疽食性忌之也

炊湯不宜洗面

炊湯經宿洗面令人無顔色洗體令人成癬未經宿者洗面令人亦然

食驢鼈漏肉之戒

食驢肉喫荆芥茶殺人食鼈肉同莧菜殺人茅舍漏滴在肉上食之殺人此三者尤宜戒之三說本草

食勿多飽多卧

食謹勿多多則生病飽勿多卧卧則心蕩心蕩多失性食多生病則藥不行集異說

發暴

浙中人因食瓜匏多要發吐瀉霍亂謂之發暴以致

於有不救若為何瓜匏種之在土不久值時暖易長易成使人食之則發暴若同香葇共食則可免香葇今香薷也今人所謂香葇和食瓜子是矣名醫錄

飲食忌

凡人食欲少而數不欲頓而多食不欲急急則損脾法當熟嚼令細冷食不用熱水漱口熱食不用冷水漱口食必先食熱然後食冷

醉飲過度

酒有大毒大熱大寒凝海唯酒不氷其至熱也飲之昏亂易人本性其至毒也若解風寒宣血脉消邪氣

引藥勢不過於酒也若醉飲過度盆傾斗量毒氣攻心穿腸腐脇坼喪生之源也修真秘訣

黄帝雜忌法

一日之忌暮無飽食一月之忌晦無大醉一歲之忌暮無遠行終身之忌暮無燃燭行房鹹傷筋醋傷骨飽傷肺饑傷氣久視傷血久臥傷氣久立傷骨久坐傷肉久行傷筋凡向北勿安牀勿面北坐夜臥勿覆其頭人魘勿令燃燈喚之定死無疑正月寅日燒白髮吉凡寅日翦手甲午日翦足甲又燒白髮吉戊幕雜談

飲食禁

食黃顙魚不可服荆芥吳人魏幾道志在妻家啖黃魚羹罷採荆芥和茶而飲少焉足底奇癢上徹心肺跣足行沙中馳宕如狂足皮皆破欲裂急求解毒藥餌之幾兩日乃止

食蜜不可食鮓

韶州月華寺側民家設僧供新蜜方熟群僧飽食之有某院長老兩人還至半道遇村墟賣鮓不能忍饞買食盡半斤是夕皆死

食河豚不可服風藥

李悳郎中過常州王子雲縉為郡招之晨餐辨河豚

為饌李以故不食遺歸餉妻妻方平明服藥不以爲慮啜之甚美即時口鼻流血而絕李未終疾訃音至矣二說夷堅志

飲食宜緩

王介玉頃常道傍食有一老人進言飲食須用緩蓋脾喜温不可以冷熱犯之唯緩食冷熱之物至脾皆温矣又因論飲食大冷熱則傷陰陽之氣晁氏客話

陰地流泉不可飲

陰地流泉二月八月行途之間勿飲之令人夏發瘧瘴又損脚令軟五月六月勿飲澤中停水食著魚鱉

精令人病鷩瘕也（本草）

食禁

荆芥一名假蘇，本草謂性温，不然，實微凉。吾黨嶠嶺乆數見食黄顙魚偶犯荆芥者必立死，甚於鈎吻毒矣。物性相反有可畏如是，世人於食禁殆不可不知。（百衲居士鉄圍山叢談）

禽獸蟲魚肉異不可食

禽獸蟲魚之屬或有感沴氣所生形色變異者，皆為毒物，謹勿食之。謂物有形質變異者，如獸有岐尾，蟹有獨螯，羊一角，鷄四足是也。物有形色變異者，如白烏玄首烏雞白首白馬青蹄白馬黑頭是也有形色無異其肉變恠者如落地不沾灰塵經宿肉體尚暖曝炙不燥入水自動之類是也有皮肉無異腸臟變改者如肝色青黯腎氣紫黑魚無腸膽牛肝葉孤之類是也有一物常食性善與他物相反過口而害人者如鮀魚同鹿肉食之殺人羊肉同鱠酪食之害人辛肝得生椒破人臟猪肉得胡荽爛人臍是也有一物常食性平與他物相感入腹成動物者如鱠生同酥乳食之變諸蟲鼈肉與莧菜食之還生鼈牛肉同猪肉食之成寸白蟲猪羊肉以桑楮柴煮炙食之亦

成寸白也東號婁居中食治通說

勿食生鮮

旋殺物命以應急需既虧愛物之仁又失養口體之正且肉未停冷動性猶存鱠生之屬損人彌甚昔有食魚鱠而生病者用藥下之已變蟲形而能動有鱠縷尚存故可驗也有食鼈肉而成積者用藥下之已成動物而能行有類鼈狀故可驗也諸肉膾而食之生蟲成病者甚多一切微細物命旋烹不熟食之害人固不可測為癥為瘕為痼疾為奇病此不可不知亦不可忽者也食治

四時不食

金匱要略方曰春不食肝夏不食心秋不食肺冬不食腎四季不食脾謂畜獸五臟能益人五臟春時木旺肝氣盛脾氣敗故不食肝食之則肝氣愈盛脾氣愈敗因成脾病則難治也或春月肝經受病明有虛證亦宜食肝以補之或春月肝氣太盛即宜食肺以抑之又云肝病禁辛心病禁鹹脾病禁酸肺病禁苦腎病禁甘五味遞相尅制故禁之也或肝氣太盛因而生病亦宜辛味以制之更在心智變通不可全執定論他臟倣此食治

飽勿便睡

偶食物飽甚雖覺體倦無輒就寢可運動徐行約百餘步然後解帶鬆衣伸腰端坐兩手按摩心腹交义来往約一二十過復以兩手自心脇間按擦向下約十数過令人腹氣通不致壅塞過飽食物隨手消化也

生物食之無益

食物可生噉者唯有果核時新初市無貴先嘗貴在實成氣足以走趍市利之物多未成熟故也時果鮮味易於可口無喜其甘酸至於意足而後巳棗栗之

屬經火熟者稍多食雖無妨亦忌於飽飯之後菜品中以蘿蔔下麪茵蔯和羹皆生用為宜萵苣嫩苗蕪菁肥根苦蕒落蘇雖可生啖皆不益腸胃不如淹菹煑羹以為麪飯之佐也百穀之屬固不可生食一切動物皆然或鱠魚如縷抹肉成縷沃醋食之已失食養之正有將蛤蜊螃蟹析殼衆活而啖者肉味致用豈有是理既輕殘物命還輕忽自己之性命也生食果菜自有所損缺又損之彌者以好生之德衛生之經併失之故也食冶

食無求飽

論語云不多食又曰食無求飽謂食物無務於多貴在能節所以保冲和而順順養也若貪生務飽飫塞難消徒積暗傷以召疾患蓋食物飽甚耗氣非一或食不下而上湧嘔吐以耗靈源或飲不消而作痰咯唾以耗神水大便頻數而洩耗穀氣之化生溲便利滑而獨耗源泉之浸潤致於精清冷而下漏汗淋瀝而外泄莫不由食物而過傷滋味太厚如能節滿意之食省爽口之味常不至於飽甚者即頓頓必無傷物物皆為益糟粕變化早晚溲便按時華精和凝上下津液含蓄神藏內守榮衛外護邪毒不能犯疾沴

無由作故知聖人之立言垂教豆以為養生之大經也東號婁居中食治通說渡與渡同用

飲食以時

飲食以時飢飽得中水穀變化冲氣和融精血以生榮衛以行腑臟調平神志安寧正氣充實於內元真通會於外內外邪沴莫之能干一切疾患無從而作也

食飲以宜

食飲之宜舉其大略當候以飢而後食食不厭熟嚼仍候焦渴而引飲飲不厭細呷無待飢甚而後食食

不可大飽或覺微渴而省飲飲不欲太頻漿不欲甘酸肉無貪肥膩食不厭精細飲不厭溫熱飯無令少於麪菜常令稱於肉肉不厭軟暖菜不可生茹五味無令勝穀味肉味無令勝食氣滋味欲澹而和食時當謹其度故得食飲常美津液常甘身輕而不倦神清而少睡腸府通暢而少噫胃脘寬紓而不脹省解帶摩腹之勞免食藥耗氣之失皆目前近效也同上

粥能暢胃生津液

張文潛粥記贈潘邠老張安道每晨起食粥一大盌空腹胃虛穀氣便作所補不細又極柔膩與腸腑相

淂最為飲食之良妙齊和尚說山中僧每將旦一粥甚繫利害如或不食則終日覺臟腑燥渴蓋能暢胃氣生津液也今勸人每日食粥以為養生之要必大咲大抵養生性命求安樂亦無深遠難知之事正在寢食之間耳或者讀之果咲文潛之說然予觀史記陽虛侯相趙章病太倉公診其脉曰法五日死後十日乃死所以過期者其人嗜粥故中臟實故過期師言曰安穀者過期不安穀者不及期由是觀之則文潛之言又似有証後又見東坡一帖云夜飢甚吳子野勸食白粥云能推陳致新利膈養胃僧家五更食

粥良有以也粥既美快粥後一覺尤不可說

五味致疾

五味養形過則致病故多食鹹則脉凝泣而變多食苦則皮槁而髮拔多食酸則肉胝皺而唇揭多食甘則骨痛而髮落多食辛則筋急而爪枯本事方

飲酒面青赤

飲酒者肝氣微則面青心氣微則面赤

魚無腮不可食

養生方云魚無腮不可食食之令人五月發癩巢氏病源

醫說卷第七

醫説卷第八

服餌并藥忌

服藥忌食

有术勿食桃李及雀肉胡荽大蒜青魚鮓等物有藜蘆勿食貍肉有巴豆勿食蘆筍羹及野猪肉有黄連桔梗勿食猪肉有地黄勿食蕪荑有半夏菖蒲勿食飴糖及羊肉有細辛勿食生菜有甘草勿食菘菜又云勿食海藻有牡丹勿食生胡荽有商陸勿食犬肉有恒山勿食生葱生菜有空青硃砂勿食生血有茯苓勿食醋物有鼈甲勿食莧菜有天門冬勿食鯉魚

服藥不可多食胡荽及蒜雜生菜又不可食諸滑物果實等又不可多食肥猪犬肉油膩肥羹魚膾腥臊等物服藥通忌見死尸及産婦厭穢事本草

藥欲用陳

狼毒枳實橘皮半夏麻黄吳茱萸皆欲得陳久者其須精新也

桃膠愈百病

膠以桑灰汁漬服之百病愈久久服之身輕有光在晦夜之地如月出也多服之則可以辟穀抱朴子

服术

紫微夫人服术叙云察草木之速益於已者並不及术术氣則式遏鬼津益血生腦逐惡致真守精衛命古人名為山精之卉山薑之精太上導仙銘曰子欲長生當服山精子欲輕翔當服山薑

食术不飢

内篇曰南陽文氏值亂逃壺山中飢困欲死有一人教之食术遂不飢數十年乃還鄉里顏色更少氣力轉勝故术一名山精神藥經曰必欲長生當服山精抱朴子

服术忌蛤

世云服术忌雀鴿非鳩鴿也乃蜃蛤耳外郎刁衎久服术因食蛤瀉血食鳩鴿則無恙嘗有雀鬭入盆池中旬日皆化爲蛤後以死雀投其中則不化雀蛤氣類同也戎幕閑談

服黄連

劉奉林周時人學道嵩山四百年三合神丹爲邪物所敗乃入委羽山閉氣三日不息令千餘年猶未升仙但服黄連滑不死耳不能有所役使

服松脂

松脂以鎮定者爲良細布袋盛漬水中沸湯煑之浮

水面者罩籬掠取投新水中久煮不出者棄不用入白茯苓末杵羅爲末每日取三錢七著口中用熟水漱仍如常法揩齒更啜少熟水嚥之仍漱齒牢牙注顏烏髭也東坡大全集

服黄精

臨川有士人虐所使婢婢乃逃入山中久之見野草枝葉可愛即拔取根食之甚美自是嘗食久而遂不飢輕健夜息大樹下聞草中動以爲虎懼而上樹避之及曉下平地其身歘然凌空而去自一峰之頂若飛鳥焉數歲其家人採薪見人告其主使捕之不得

一日遇絶壁下以綢三面圍之俄而騰其山頂其主異之或曰此婢安有仙骨不過服靈藥食遂以酒饌五味香美置往來之路觀其食否果来食食訖遂不能遠去就擒之具述其故指所食之草即黄精也

不食蒜

黄仙君口訣服食藥物不欲食蒜及石榴子豬肝犬頭肉

真菊野菊

蜀人多種菊以苗可以菜花可以藥園圃悉能植之闤闠中賣郊野之人多採野菊供藥肆頗有大誤真

菊延齡野菊瀉人如張華言黃精益壽鉤吻殺人如此類也牧堅野談

論物理

舒州醫人李惟熙善論物理云菱芡皆水物菱寒而芡暖者菱花開背日芡花開向日故也又曰桃杏雙仁輒殺人者其花本五出六出必雙草木花皆五出唯梔子雪花六出此殆陰陽之理今桃杏六出雙仁皆殺人者失常故也

服菖蒲

韓衆服菖蒲十三年身生毛石上一寸九節紫花者

善抱朴子

服餌忌羊血

服餌之家忌食羊血雖服藥數十年一食則前功盡喪

三藥

上藥養命謂五石練形六芝延年也中藥養性謂合歡蠲忿萱草忘憂也下藥除病謂大黄除實當歸止痛也博物志

朴消下死胎

朴消為細末二錢温童子小便調下知洪州進賢曾

通仕定永云昔為豐城尉家有猫孕五子一子已生四子死腹中腹脹啼吽欲絶試以問醫醫教以此藥灌之死子即下猶淂不死後有一牛亦如此用此法亦活醫者云本治人方用以治畜亦效後以活人無不驗者信效方

常服熱藥

夏文莊公性豪侈禀賦異於人纔睡則身冷如殭一如逝者既覺須令人温之良久方能動人有見其陸行而車箱運載一物巍然問之乃綿帳也以數千兩綿為之常服仙茅鍾乳硫黄莫知紀極晨朝每食鍾

乳粥有小吏竊食之遂疽發幾不可救筆談

枲耳補益

枲耳并根苗葉實皆取濯去砂土懸陰乾淨掃地上燒為灰湯淋取濃汁泥連兩竈煉之灰汁耗即旋取傍釜中已滾灰汁益之經一日夜不絕火乃旋得霜乾甆瓶盛每日早晚臨睡酒調一錢匕補暖去風駐顏不可備言尤治皮膚風令人膚革滑淨每洗面及浴取少許如澡頭用尤佳無所忌昌圖之父從諫宜州文學家居於邕服此十餘年今七八十紅潤輕健蓋專得此藥也良方

補骨脂丸

唐鄭相云予爲南海節度七十有五越地卑濕傷於内外衆疾俱作陽氣衰絶乳石補益之藥百端不應元和七年有訶陵國舶主李摩訶獻此方經七八日而覺應驗自爾常服其功神驗十年二月罷郡歸京録方傳之其方用破故紙十兩揀洗爲末胡桃肉去皮二十兩研如泥即入前末更以好蜜煉和均如飴盛甆器中旦日以温酒化藥一匙服之不飲酒熟水下彌久則延年益氣悦心明目補添筋骨禁食芸薹羊血番人呼爲補骨脂丸本事方

用藥偏見

蜀人石藏用以醫術游都城，其名甚著。陳承餘杭人，亦以醫顯。石好用暖藥，陳好用涼藥。古之良醫必量人之虛實，察病之陰陽，而後投以湯劑，或補或瀉，各隨其證。二子乃執偏見，於冷煖，俗語曰：藏用擔頭三斗火，陳承篋裡一盤氷。編泊宅

遍體盡疼

周離亨嘗言：作館職時，一同舍得疾，遍體疼，每作殆不可忍。都下醫或云中氣，或云中濕，或云脚氣，用藥悉不效。疑血氣凝滯所致，為製一散飲之，甚驗。予未

及問所用藥沉思久之因曰據此證非延胡索不可周君大駭曰何以知之予曰以意料之恐當然爾延胡索當歸桂等分依常法治之為末疾作時溫酒調三四錢隨人酒量頻進之以止為度蓋延胡索活血化氣第一品也其後趙待制霆導引失節肢體拘攣數服而愈

功在橘皮

橘皮寬膈降氣消痰逐冷有殊功他藥多貴新唯此貴陳須洞庭者最佳外舅莫強中知豐城縣得疾凡食已輒胸滿不下百方治之不效偶家人輩合橘紅

湯取嘗之似有味因連日飲之一日坐廳事方操筆覺胷中有物墜于腹大驚目瞪汗如雨急扶歸須臾腹疼下数塊如鐵彈子臭不可聞自此胷氣廓然盖脾之冷積也抱病半年所服藥餌凡幾種不知功乃在一橘皮世人之所忽豈可不察哉其方橘皮去穰取紅一斤甘草鹽各四兩水五碗慢火煑乾焙擣為末點服又古方以橘紅四兩炙甘草一兩為末湯點名曰二賢散以治痰特有驗盖痰久為害有不可勝言者世醫雖知用半夏南星枳實茯苓之屬何足以語此同上

人氣粉犀

諸藥中犀最難擣必先鎊屑乃入衆藥中擣之衆藥篩羅已盡而犀獨在余偶見一醫僧元達為解犀為小塊方半寸許以極薄紙裹置懷中使近肉以人氣蒸之候氣蒸薫浹洽乘熱投臼中急擣應手如粉因知人氣能粉犀也今醫工莫有知者歸田録

老人疾患

常見世人治年高之人疾患將同年少亂投湯藥妄行鍼灸以攻其疾務欲速愈殊不知上壽之人血氣已衰精神減耗危若風燭百疾易攻至於聽視不至

聰明手足舉動不隨其志身體勞倦頭目昏眩風氣不順宿疾時發或祕或泄或冷或熱皆皆老人之常態也不須緊用鍼藥務求痊差往往因此別致危殆且攻病之藥或汗或吐或解或利緣衰老之人不同年少年少之人真氣壯盛雖汗吐轉利未至危困其老弱之人若汗之則陽氣泄吐之則胃氣逆瀉之則元氣脫立致不可救此養老之大忌也大體老人藥餌止是扶持之法只可用溫平順氣進食補虛中和之藥治之不可用市肆贖買他人惠送不知方味及狼虎之藥與之服餌切宜審詳若身有宿疾或時發

動則隨其疾狀用中和湯藥調順三朝五日自然無事惟是調停飲食依食醫之法隨食性變饌治之此最爲良也養老奉親書

物性皆有離合

彝萬物之性皆有離合虎嘯風生龍吟雲起磁石引鍼琥珀拾芥漆得蟹而散麻得漆而湧桂得葱而軟樹得桂而枯戎鹽累卵獺膽分杯其氣爽有相關感多如此類其理不可得而思之本草

藥議

古方云雲母麤服則著人肝肺不可去如枇杷狗脊

毛不可食皆云射人肝肺世俗自此之論甚多皆謬說也又言人有水喉食喉者亦謬說也世傳歐希範五臟圖亦畫二喉蓋當時驗之不審耳水與食同嚥豈能就中遂分入二喉人但有咽有喉二者而已咽則納飲食喉則通氣咽則下入胃脘次入胃又次入腸又次入大小腸喉則下通五臟出入息五臟之氣呼吸正如冶家之鼓鞴人之飲食藥餌但自咽入腸胃何嘗能至五臟凡人之肌骨五臟腸胃雖各別其入腸之物英精之氣味皆能洞達但滓穢即入二腸凡人飲食及服藥既入腸胃為真氣所蒸英精之氣

味以至金石之精者如細研硫黄朱砂乳石之類凡能飛走融結者皆隨真氣洞達肌骨猶如天地之氣貫穿金石土木曾無留礙自餘頑石草木則但氣味洞達耳及其勢盡則滓穢傳於大腸潤濕滲入小腸此皆敗物不復變化惟當退泄爾凡所謂某物入肝某物入腎之類以氣味到彼爾物質豈能至彼哉此醫不可不知也筆談

施藥

夫人既以五穀養其生而亦以藥石伐其病苟無藥石則寒暑勞苦之太過喜怒饑飽之無節時令不常

衛生無術，身貧而莫求醫藥，雖富者或無良劑，或客遊半道卧病而無所治療，如是而喪者亦多矣。且好仁之士有濟物之心，或蓄一驗方，或有一奇藥，計力多寡精加修製，廣行施惠，使沉疴宿疾、苦楚萬狀、危惡之候一藥能愈，俾呻吟變爲和氣。雖身貧力微難以脩合濟人者，誠能得一奇湯妙劑，隨所治之疾印寫千百本，粘之於牆壁道路之間，利亦博矣。

風土不同

夾河風性寒，民多傷風。河洛以東地鹹，水性冷，故民雖哺粟食麥，亦無熱疾。滑臺風水性寒冷尤甚，士民

服附子如半栗 瑣碎錄

蒼术辟邪

越民高十二歎歲無食挈妻兒至德清寄妻於秀州倉官李深家為乳媼高得錢還越而死李僕許八隨直在秀以幹歸德清及再來之日媼患恍惚譫語作厥夫聲責罵故妻不為資薦李問何以得至此曰我隨許僕船便是以得來李命巫逐未至謾燒蒼术烟熏燎鬼遽云我怕烟氣不敢更留遂無語媼病亦差今人衛惡者必爇术蓋邪鬼所畏也 類編

陰氣所侵

乾道中江西士人赴調都下遊西湖民閒一女子明艷動人求之於其父母啖以重幣峻卻焉田家不復相聞又五年赴調尋舊遊茫無所覩悵然空還忽遇女子於半途呼揖問訊士喜甚扣其徙舍之由女曰我久適人夫坐庫事坐獄未出能過我啜茶否士欣然並行過旅館女曰此可棲泊無庸至吾家留半歲將議挾以偕逝女始斂衽曰向自君去憶念之苦感疾而亡今非人也無由陪後乘但陰氣侵君深當暴瀉宜服平胃散以補安精血士聞語驚惋曰藥味皆平何得功效女曰中用蒼朮去邪氣乃為上品夷堅志

流水止水

孫思邈千金方人參湯言須用流水用止水即不驗人多疑流水止水無別予嘗見丞相荆公喜放生每日就市買活魚縱之江中莫不洋然唯鱔䱇入江水輙死乃知鱔䱇但可居止水則流水與止水果不同不可不信又鯽魚生流水中則背鱗白生止水中則鱗背黑而味惡此亦一驗也良方

服雄黄

劉無名嘗於庚申日守三尸服雄黄後見二鬼曰我奉泰山真符來攝君見君頂上黄光數尺不可近得

非雄黄之功乎（瑣碎錄）

古方無妄用

鄱陽周順醫有十全之功云古方如聖惠千金外臺秘要所論病源脉證及鍼灸法皆不可廢然處方分劑與今大異不深究其旨者謹勿妄用有人得目疾用古方治之目遂突出又有婦人因產病用外臺秘要坐導方其後反得惡露之疾終身不差曾有士人得脚弱病方書羅列積藥如山而疾益甚余令屏去但用杉木爲桶濯足令排樟腦於兩股間以脚棚繫定月餘而安健如故南方多此疾不可不知順固名

醫語必不妄故書以為誡遯齋閑覽

草藥不可妄用

紹興十九年三月英州僧希賜往州南三十里洗口掃塔有客船自番禺至舟中士人携一僕僕病脚弱不能行舟師悯之曰吾有一藥治此病如神餌之而差者不可勝計當以相與既賽廟畢飲胙頗醉乃入山求得藥漬酒授病者令天未明服之如其言藥入口即呻吟云腸胃極痛如刀割截遲明而死士人以咎舟師舟師恚曰何有此即取昨夕所餘藥服之不逾時亦死蓋山多斷腸草人

師所取藥爲根蔓所纏結醉不暇擇亻

及於禍則知草藥不可妄服也甲志

服藥次序

病在胷膈以上者先食後服藥病在心腹以下者先服藥而後食病在四肢血脉者宜空服而在旦病在骨髓者宜飽滿而在夜本草

服餌

凡服藥藥氣與食氣不欲相逢食氣消則服藥藥氣散則進食其藥有食前食後者皆宜審此瑣碎錄

五味各有所歸

凡藥以酸養骨辛養筋鹹養脉苦養氣甘養肉滑養竅

治胡臭

胡臭腋內陰下恒濕臭或作瘡青木香好醋浸致腋下夾之愈外臺秘要方

又

百草灰主腋臭及金瘡五月五日採露收之一百種陰乾燒作灰以井花水為團燒令白以釅醋和為餅腋下夾之乾即易當抽一身痛悶瘡出即止々々便洗之不過三兩度又主金瘡止血生几

灰為圍燒令白㮺傳瘡上

枳殼散之戒

每人家婦女有孕則服枳殼散謂能縮胎令人易產乃大不然凡胎壯則子有力故易產村婦平日健啖其產特易令服枳殼反致無力兼子亦氣弱難養也本草衍義

疾證

妄庸議病

世間凡有病人親朋故舊交游來問疾其人曾不經事未讀一方自誇了了詐作明能談說異端或言是

虛或言是實或云是風或云是蟲或道是水或云是疾紛紛謬說種種不同破壞病人心意不知孰是遷延未就時不待人歘然致禍各自散走是故大須好人及好名醫識病深淺探賾方書博覽古今事事明解者看病不爾大悞人事孫真人千金方

病生於和氣不須深治

凡人三部脉大小浮沉遲疾同等不越至數均和者雖病有寒熱不解此為陰陽和平之脉縱病必愈此乃感小邪之氣故不可深治大攻吐瀉發汗若藥勢過多反致危損切切禁之脉如應四時氣候平均者

雖有小邪寒熱蚘乃無妄之疾勿藥有喜不可拘以日数次第強為攻發必別致大患

辯證

山氣多男澤氣多女水氣多喑風氣多聾木氣多傴石氣多力險氣多癭暑氣多殘雲氣多壽谷氣多痺丘氣多尫衍氣多仁陵氣多貪腦神曰覺元髮神曰玄華目神曰虛監鼻神曰冲龍舌神曰始梁瑣碎錄

病名不同

凡古今病名率多不同緩急尋檢常致疑阻若不判別何以示衆且如世人呼陰毒傷寒最為劇病實陰

陽之候命一疾而涉三病以此為治豈不甚遠而殊不知陰毒少陰陰陽自是三候為治全別古有方證其説甚明今乃混淆害人最急又如腸風臟毒咳逆慢驚遍稽方論無此名稱深窮其狀腸風乃腸痔下血臟毒乃痢之蠱毒咳逆者噦逆之名慢驚者陰癇之病若不知古知今何以為人司命加以古人經方言多雅奥以痢為滯下以蹷為脚氣以淋為癃以實為秘以天行為傷寒以白虎為歷節以膈氣為膏肓以喘嗽為咳逆以強直為痓以不語為瘖以緩縱為痱以怔忡為悸以痰為飲以黄為癉諸如此類可不

討論而况病有數候相類二病同名者哉宜其視傷寒中風熱病温疫通曰傷寒膚脹鼓脹腸覃石瘕率為水氣療中風專用乎痰藥指帶下或以為勞疾伏梁不辨乎風根中風不分乎時疾此今天下醫者之公患也是以別白而言之（鷄峯方）

外感內生諸疾

四時之中有寒暑燥濕風氣相搏喜變諸疾[illegible]預察之稍失防閑則並能中人又有時行疫癘瘴瘧等疾遞相傳染者而人之五臟有大小高下堅脆端正偏傾六府亦有長短薄厚緩急禀賦不同各如其面目

有疾恙至少者有終身長抱一疾者具飲食五味飲魚蟲菜果實之屬性有偏嗜者金石草木血肉苦辛之藥素有服餌者又有貴者後賤富者乍貧有常貴常富者有暴貴暴富者有暴苦暴樂者有始樂終苦者有離絶蘊結憂恐喜怒者故常富者惡勞驕惰者情消多事則神勞多語則氣諍多笑則腑傷多恐則志攝多樂則意逸多喜則錯忘多怨則百脉不定多惡則憔悴無權多好則昏迷不定此又非外邪所中而得之於內者也良工必精審察其由先知病者臟腑經絡受病之所由又別外感內生之所致則下

萬全矣

取像

古之論疾多取像取類使人易曉以臟腑稀散為鴨溏或為鶩溏（野鴨謂之鶩）謂其生於水中屎常稀散故也以遇夜月昏不見物為雀目雀遇昏晚目不見物故也以腎氣奔衝為奔豚謂豚能奔逸而不能遠也以時氣發嗄咽乾欲睡復不安眠為狐惑以狐多疑惑也以大便艱難為野雞痔謂欲使而復止故也狼漏姑發于頸腫無頭有根起於闕盆之上連延耳根腫大謂其疾未暴猛如狼故也其源緣憂恚氣上不得

下嚌嘈漏始䗩於脛下無頭尾如棗核塊累㿉在皮中謂其無頭尾狀若蠐螬故也

反治法

治病之法莫不以寒療熱以熱療寒通則塞之塞則通之益所不勝損其所勝氣平邪伏病乃良已然疾勢有大小藥力有重輕聖賢制方論必求其所因以伏其所主譬由火也人間之火遇草而爇得木而燔可以濕伏可以水滅疾之小者似之而疾之大者則若神龍之火得濕則焰遇水則燔寒與熱相拒熱與寒相違不可以常法治也故經有熱因寒用寒

用寒因塞用通因通用之法可使氣調可使必熱者以豆豉浸酒此因熱用寒者也治寒者以蜜煎烏頭此因寒用熱者也久痢通滑必當先去其積中滿實塞必當峻補其下經云寒積內凝久痢泄瀉愈而復發連歷歲時以熱下之結散痢止此因通治之法也下虛中滿之病補虛則滿甚於中宣導則轉虛其下故當踈啟其中峻補其下此因塞治之法也同上

五臟六腑其說有謬

古人論五臟六腑其說有謬者而相承不察今欲以告人人誰信者古者左腎其府膀胱右腎命門其府

三焦丈夫以藏精女子以繫胞以理言之三焦當如膀胱有形質可見而王叔和三焦有藏無形亦不大謬乎蓋三焦有形如膀胱故可以有所藏有所繫若其無形尚何以藏繫哉且其所以謂之三焦者何也三焦分布人體中有上中下之異方人心湛寂欲念不起則精氣散在三焦榮衛百骸及其欲念一起心火熾然翕撮三焦精氣流入命門之府輸寫而去故號此府為三焦耳世承叔和之謬而不悟可為長太息也予甚異其說後為齊州從仕有一舉子徐遁者石守道之婿也少嘗學醫為衛州州聞高敏之遺

病有精思予爲道驤之言遁喜曰齊嘗大飢群丐相臠割而食有一人皮肉盡而骨脉全者遁以學醫故往視其五臟見右腎之下有脂膜如手大者正與膀胱相對有二白脉自其中出夾脊而上貫腦意此則導引家所謂夾脊雙關者而不悟脂膜如手大者之爲三焦也聞君之言與所見懸合可以證古人之謬

龍川志

六淫之疾

孫尚藥曰夫六淫之氣天之常行者也蓋人無撙節傷其氣候暴中邪毒有跡治療轉著肢體或寒溫不

避暑濕時傷憂思喜怒疾患便起治療有差攻傳五臟遂至轉深醫者苟求目前之捷效不審丸散之誤投剏意世財動邀富貴企踵權豪希圖謀進病者又即惜吝資財不知其身可貴委憑庸妄必死無生可不哀哉凡六淫疾者切在細明治療有中必得十全之說陽淫熱疾則拒熱不前看虛實以涼之陰淫寒疾則怯寒而身拒須憑溫藥以治之風淫末疾必身強直（末四肢也）此乃動性不調須和冷熱以平之（在陽則熱在陰則寒）故寒則筋攣骨痛熱則痿緩不收雨淫腹疾濡泄濕氣要憑滲燥之方更看冷熱之候晦邪所淫青冲

熒感當平正氣而可痊明湲心疾狂邪重盛讝妄多言憂愁轉甚此二氣同一皆引心胷之虛邪治療正氣須用至寶之藥平生經驗甚多故集口訣方書以傳于家孫尚藥曰夫風者天地之號令物性之動氣人雖萬物之貴不能撙節觸冐四時乘精氣虛邪而入於腠理積之微末累傷重併滿而大作或不慎味欲所傷又深虛邪實邪以下正氣搏陽經則瘈瘲而肢體不收襲陰經則筋攣絡急中風之名因茲而起初得小中之候漸作癱瘓之疾故風趣百竅獨聚一肢言語謇澁形若癡人醫者妄令吐瀉用藥躁煩十

無一瘂致使人手足不任精神昏亂殊不知内不能通外不能泄致脅悶形死又不知通泄之藥亦不在大吐大下似此治療往往五死五生雖其人禀氣充實亦為所苦彌甚不幸遂至枉死竊觀自古聖賢治療有法十有九驗夫療病之法必先準四時虛實以詳中病之由依繩墨拯濟乃是解死脱厄之路四時之病春中時風自東而來名曰温風蓋時令不和而傷人也浮而輕淺可汗而解敗毒散羌活細辛之類更看發起在陰在陽隨而瀉效若其人自虛羸從後而來名曰虛風主人煩悶肢體攣痺不任便可良續

命湯八風湯成劑頓服更加灸法三五日間勢必減退漸漸調和以求生路如從前来名曰實風亦主人脊悶脉緊浮大宜以茯神湯西州續命湯求效不用火刼自使勢漫須緩緩治之故千金曰風者百病之長又曰治風不以續命湯治之則為不治風所以見聖人之心矣鷄峯方同上

治病有八要

夫治病有八要八要不審病不能去非病不去無可去之術也故須審辯八要庻不遺誤其一曰虛五虛是也脉細皮寒氣少泄利前後飲食不進此為五虛

二曰實五實是也脉盛皮熱腹脹前後不通悶瞀然五實也三曰冷臓腑受其積冷是也四曰熱臓腑受其積熱是也五曰邪非臓腑正病也六曰正非外邪所中也七曰内病不在外也八曰外病不在内也既先審然八要參之六脉審度所起之源繼以望聞問切加諸病者於（於與烏同）有不可治之疾也（本草衍義）

病不可治者有六失

夫病不可治者有六失失於不審失於不信失於過時失於不擇醫失於不識病失於不知藥六失之中有一於然即為難治非止醫家之罪亦病家之罪也

矧有醫不慈仁病者猜鄙二理交馳於病何益由是言之醫者不可不慈仁不慈仁則招禍病者不可猜鄙猜鄙則招禍惟賢者動達物情各就安樂亦治病之一説耳同上

婦人以帛幪手臂

治婦人雖有別科然亦有不能盡聖人之法者今豪足之家居奥室之中處帷幔之內復以帛幪手臂既不能行望色之神又不能殫切脉之巧四者有二闕焉黄帝有言曰凡治病察其形氣色澤形氣相得謂之可治色澤以浮謂之易已形氣相失謂之難治色

夭不澤謂之難已又曰診病之道觀人勇怯骨肉皮膚能知其情以為診法若患人脉病不相應既不得見其形醫人止據脉供藥其可得乎如此言之烏能盡其術也此醫家之公患世不能革醫者不免盡理質問病家見所問繁還為醫業不精往往得藥不肯服似此甚多扁鵲見齊侯之色尚不肯信况其不得見者乎嗚呼可謂難也已同上

勇怒

脉勇怒而面青骨勇怒則面白血勇怒而面赤酉陽雜俎

鬱冒

人平居無苦疾忽如死人身不動搖默默不知人目閉不能開口噤不能言或微知人惡聞人聲但如眩冒移時方寤此由已汗過多血少氣併於血陽獨上而不下氣壅塞而不行故身如死氣過血還陰陽復通故移時方寤名曰鬱冒亦名血厥婦人多有之宜白微湯倉公散本事方

尸厥

夫尸厥者是陰陽氣逆也此為陽脉卒下墜陰脉卒上昇陰陽離居榮衛不通真氣厥亂客邪乘之其狀如死猶微有息而不長脉尚動而形無知也聽其耳

内儵儵有如嘯聲而股間燰者是也雖無嘯聲而脉動者故當以尸厥治之其寸口脉沉大而滑沉則為氣實氣相摶身温而汗此為入腑雖卒厥不知人氣復則自愈若唇面身青冷此為入臟亦卒厥不知人即死候其左手關上脉陰陽俱虚者足厥陰手少陰俱虚也病若恍惚尸厥不知人妄有所見也

外患當以意治

人之疾病無不自虚實冷熱而作各有形證可以對治其用藥不過補瀉寒温而已然亦有不由虚實冷熱而致者如前説是也或有諸蟲入耳喉中諸鯁蠳

螻溺人影而生瘡目中有眯之類皆非虛實冷熱之病法當以意治之如灌牛乳炙豬肉掩耳上以治諸蟲獸念鸕鶿及戴魚網以治魚鯁象牙末狐貍骨以治骨鯁地上畫蠼螋形取其腹上土以治溺影瘡膽汁雞肝血及視水中豆以治目中眯之類竹溺牙以治竹刺此皆以意治之法也

論醫

醫

脉之難明古今所病也至虛有盛候大實有羸狀疑似之間便有死生之異士大夫多秘所患以求診驗

醫能否使索病於冥漠之中辯虛實冷熱於疑似之間醫者不幸而失終不肯自謂失也巧飾遂非以全其名間有謹愿者雖合主人之言亦參以所見兩存而雜治吾平生求醫蓋於平時默檢其工拙有疾求療必盡告以所患使醫了然知患之所在然後診之虛實冷熱先定于中脉之疑似不能惑也故雖中醫治吾疾常愈吾求疾愈而已豈以困醫為事哉東坡

醫特意耳

甄權以母疾與弟立言究習方書遂為高醫所撰脉經鍼方明堂等圖傳于時後以醫顯義興許胤宗或

勸其著書貽後世荅曰醫特意耳思慮精則浔之脉之候幽而難明吾意所解口不能宣也古之上醫要在視脉病乃可識病與藥值唯用一物攻之氣純而愈速今之人不善為脉以情度病多其物以幸其功譬獵不知兎廣絡原野兾一人獲之術亦踈矣一藥偶浔他味相制弗能專力此難愈之驗也脉之妙處不可傳虛著方劑終無益於世此吾所以不著書也唐書本傳

論黄連書

觀比聞公以眼疾餌黄連至十数兩猶不已不知果

然否審如所聞殆不可也觀頃年血氣未定頗好
術之說讀醫經數年嘗記釋者云服黃連苦參久而
反熱甚以為不然後乃信之蓋五味入胃各歸其所
喜故苦先歸心酸先歸肝甘先歸脾辛先歸肺鹹先
歸腎入肝則為溫入心則為熱入肺則為清入腎則
為寒入肝則為至陰而血氣積之皆為增其氣不已
臟氣有所偏勝則必有所偏絕黃連苦參性雖大寒
然其味至苦入胃則先歸於心久而不已則心火勝
火勝則熱乃其理也眼疾之生本於肝之熱肝與心
為子母夫心為子肝為母心火也肝亦火也腎孤臟

也人嘗患一水不勝二火令病本於肝而久餌苦藥使心有所偏勝是所謂以火救火命之曰益多其不可亦明矣夫藥所以療疾其過也適所以為疾比聞初作時十已損其七八正宜節藥慎護飲食以俟其自平非如決疣潰癰可以忽然一朝去也輙具以進惟留意而聽之無忽秦觀與喬希聖論黃連言

藥用君臣

舊說有藥用一君二臣三佐四使之說其意以謂藥雖衆主病者專在一物其他則節級相為用大畧相統制如此為宜不必盡然也所謂君者主此一方固

無定物也藥性論乃以衆藥之和厚者定為君其次為臣為佐有毒者多為使此謬論也設若欲攻堅積則巴豆輩豈不得為君也良方

鬚髮眉所屬

醫者所論人鬚髮眉雖皆毛類而所主五臟各異故有老而鬚白眉髮不白者或髮白而鬚眉不白者臟氣有所偏故也大率髮屬於心稟火氣故上生鬚屬腎稟水氣故下生眉屬肝稟木氣故側生男子腎氣外行上為鬚下為勢故女子宦人無勢則亦無鬚而眉髮無異於男子則知不屬腎也類苑

活人書

朱肱吳興人進士登科喜論醫尤深於傷寒在南陽時太守盛次仲疾作召肱醫而愈因論經絡之要盛君力贊成書蓋潛心二十年而活人書成 道君朝詣闕投進得醫學博士肱之為此書固精贍矣嘗過洪州聞名醫宋道方在焉因携以就見宋留肱款語坐中指駁數十條皆有攷據肱憫然自失即日解舟去由是觀人之所學固異耶將朱氏之書亦有所未盡耶後之用此書者能審而謹擇之則善矣

六氣六候

男子之生也覆女子之生也仰其死於水也亦然男内陽而外陰女子反之故易曰坤至柔而動剛書曰沉潛剛克古之達者蓋知此也秦醫和曰天有六氣淫為六疾陽淫熱疾陰淫寒疾風淫末疾雨淫腹疾晦淫惑疾明淫心疾夫女陽物而晦時故淫則為内熱蠱惑之疾女為蠱惑世知之者衆其為陽物而内熱雖良醫未知言也五勞七傷皆熱汗而蒸晦者不為蠱則曰熱之所生也醫和之言當表而出之

讀左氏　[illegible]（方良）

中國中醫研究院圖書館藏

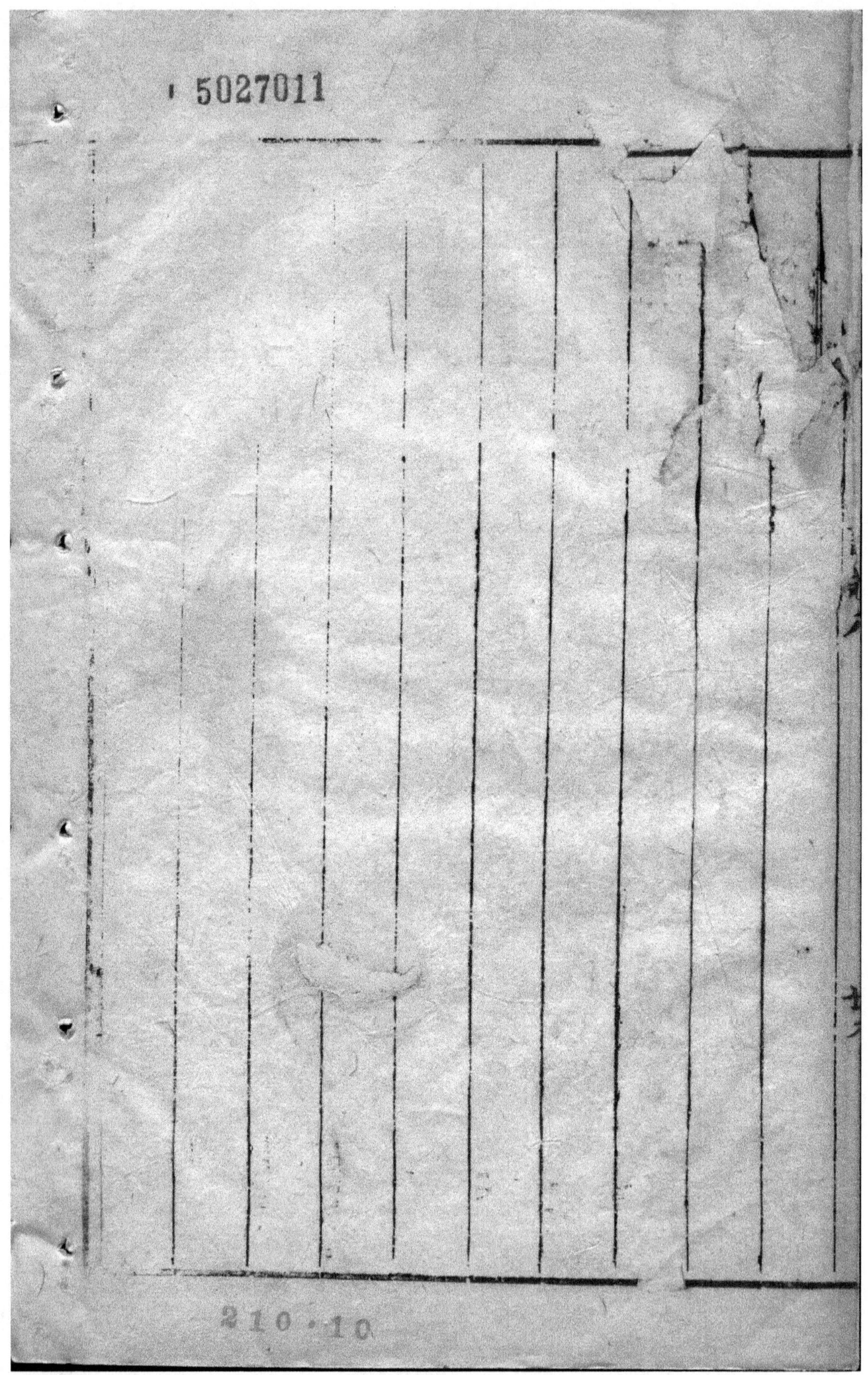
5027011
210·10

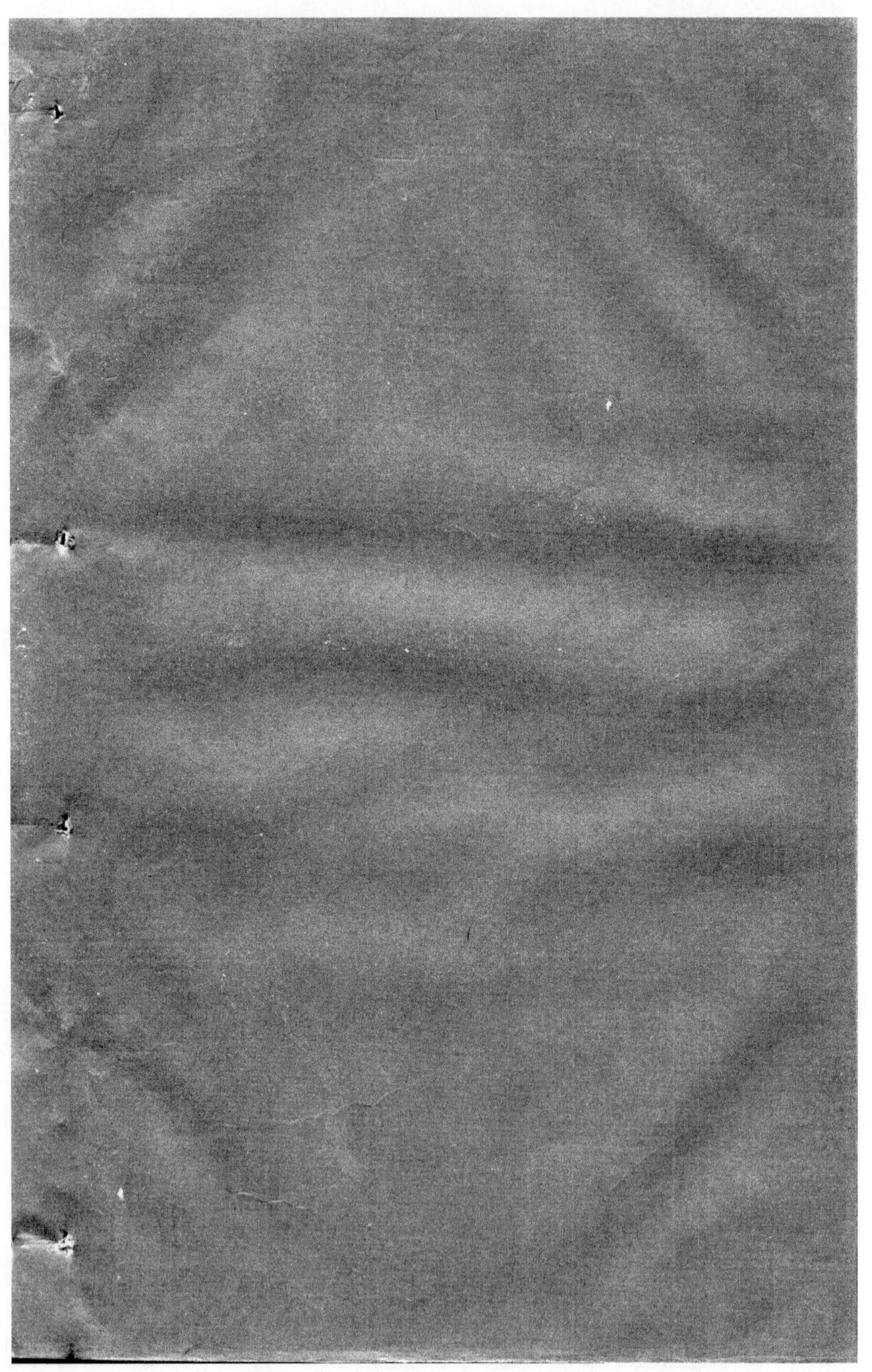

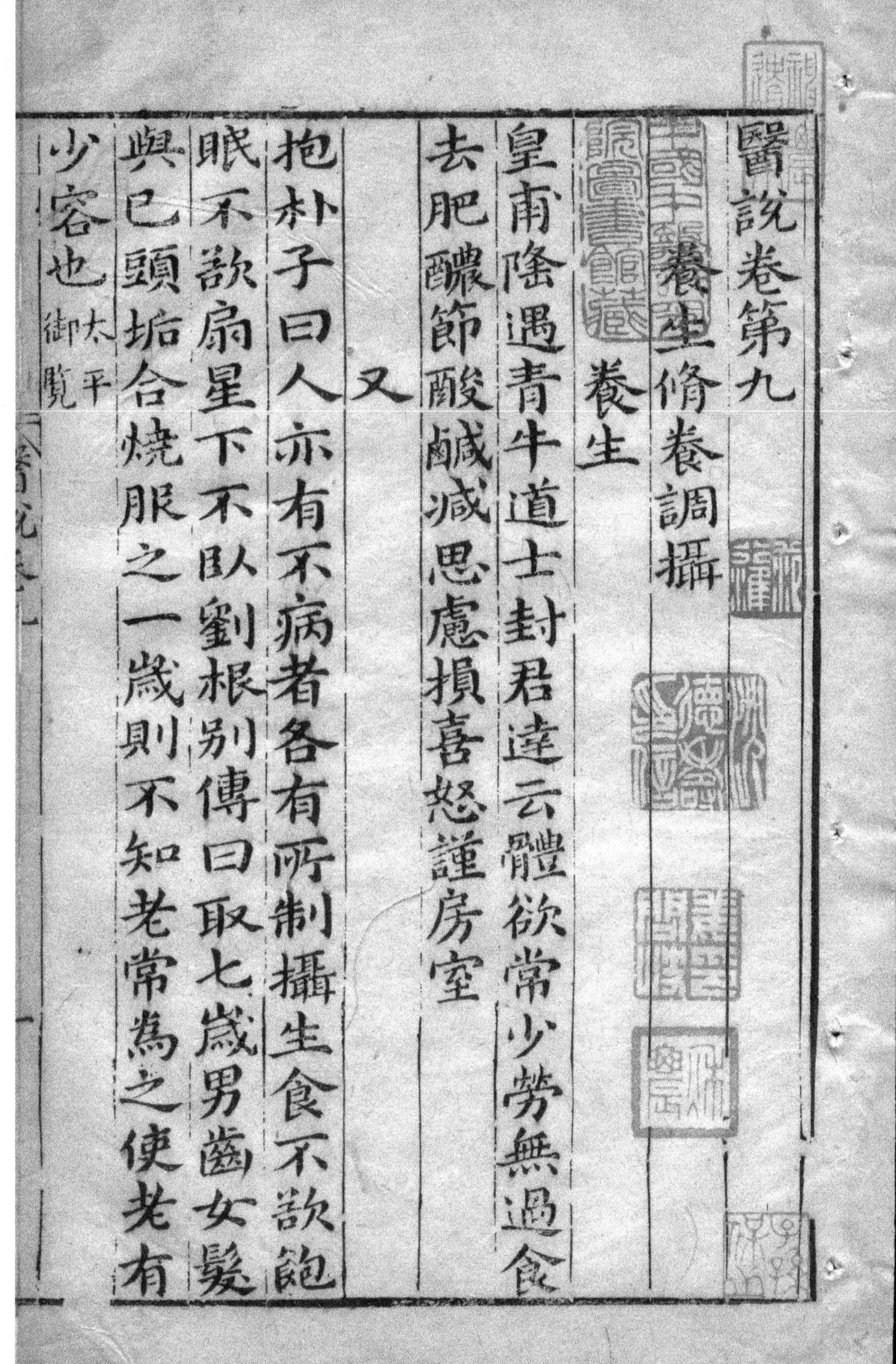

醫説卷第九

養生脩養調攝

養生

皇甫隆遇青牛道士封君達云體欲常少勞無過食去肥醲節酸鹹減思慮損喜怒謹房室

又

抱朴子曰人亦有不病者各有所制攝生食不欲飽眠不欲扇星下不卧劉根别傳曰取七歲男齒女髮與巳頭垢合燒服之一歲則不知老常為之使老有少容也太平御覽

又

世有尫羸而壽考亦有盛壯而暴亡若元氣猶存則尫羸而無害及其已耗則盛壯而愈危是以善養生者謹起居節飲食導引關節吐故納新不得已而用藥則擇其品之上性之良可以久服而無害者則五臓和平而壽命長不善養生者薄謹節之功遲吐納之效厭上藥而用下品伐眞氣而助強陽根本已危僵仆無日蘇文

神氣

神者氣之子氣者神之母形者神之室氣清則神暢

氣濁則神昏氣亂則神勞氣衰則神去室室則神廢人以氣為道道以氣為生生道兩存故長生久視

內外丹

老君曰氣象天地變通莫測陽龍陰虎木液金精二氣交會鍊而成者謂之外丹含和煉藏吐故納新上入泥丸下注丹田修運不息朝於絳宮採於五石以哺百神此內丹也修道之士內丹可以延年外丹可以升仙內丹成而外丹不應外丹應而內丹不充皆未至於升舉

六氣

六氣者呬主肺呵主心嘘主肝呼主脾吹主腎嘻主三焦三焦法象於三十六氣分行於六腑通利水穀調適形神

養神

夫欲養神先須養氣養氣先須養腦養腦先須養精養精先須養血養血先須養水而九還七返者大而論之一年小而論之一日北斗一日一夜一周天天降地騰從寅至申爲七返卻到坤爲九還

存想

神仙之要莫大乎存想存謂存我之神想謂想我之

身閉目見自己之目收心見自己之心心目不離我身不傷我神則存想之漸也

養性

養性之道欲小勞但莫大疲及強所不能堪爾食欲少而不欲頓常如飽中飢飢中飽善養性者先飢乃食先渴乃飲食後當行畢摩腹數百遍暮臥常習閉口口開則失氣邪從外入屈膝反臥益人氣力勝正偃臥春欲晏臥早起夏秋欲夜寢早起冬欲早臥晏起雖云早起莫在鷄鳴前雖云晏起莫在日出後莫久行久立久坐久臥久聽久視莫強食莫強酒飲則

不欲多多則速吐之養性之士唾不至遠行不疾步耳不極聽目不極視坐不久處立不至疲臥不至厭先寒而衣先熱而解

吐納

凡吐者去故氣亦名死氣納者取新氣亦名生氣

和氣

彭祖曰和氣導氣之道密室閉戸安牀暖席枕高二寸半正身偃臥瞑目閉氣以鴻毛著鼻上不動經三百息耳無所聞目無所見心無所思如此則寒暑不能侵蜂蠆不能毒壽三百六十歲隣於真人也

夜臥

夜臥覺常扣齒九通咽唾九過以手按鼻左右上下数十過

存心中氣

仙經曰常存心中有氣大如鷄子内赤外黃能辟衆邪延年益壽又云常存心如炎火如斗煌煌光明百邪不敢干之

服玉泉

道人蒯京年百七十八而甚丁壯言朝朝服玉泉琢齒玉泉者口中唾也朝旦未起早漱津令滿口含之

琢齒二七遍名曰練精修真秘訣

般運捷法

楊州有武官侍其某者官於二廣十餘年終不染瘴面紅膩腰足輕快初不服藥唯每日五更起坐兩足相向熱摩湧泉無數以汗出爲度歐公平日不信仙佛笑人行氣晚年云數年來足瘡一點痛不可忍近有人傳一法用之三日不覺失去其法重足坐閉目握固縮穀道搖颭兩足如氣毬狀氣極即休氣平復爲之日七八得暇即爲乃般運捷法也文忠痛已即廢若不廢當有益仇池筆意

真常子養生

酒多血氣皆亂味薄神魂自安夜漱却勝朝漱暮飡不若晨飡耳鳴直須補腎目暗必須治肝節飲自然脾健少思必定神安汗出莫當風立腹空莫放茶穿

養性之術

楊泉物理論曰穀氣勝元氣其人肥而不壽元氣勝穀氣其人瘦而壽養性之術常使穀氣少則病不生矣太平御覽

藏精養神

藏精於晦則明養神於静則安晦以蓄用静以應動

善蓄者不竭善應者不窮此君子修身治人之術唯性近着得之易也

養生偈

閑邪存誠練氣養精一存一明一練一清清明乃極丹元乃生坎離乃交梨棗乃成中夜危坐服此四藥一藥一至則極則處幾費千息閑之廓然存之卓然養之郁然練之赫然守之以一成之以久功在一日何遲之有

孫真人養生銘

怒甚偏傷氣思多太損神神疲心易役氣弱病相縈

勿使悲歡極當令飲食均再三防夜醉第一戒晨嗔
亥寢鳴雲鼓寅興漱玉津妖邪難犯已精氣自全身
若要無諸病常當節五辛安神宜悅樂惜氣保和純
壽夭休論命修行本在人若能遵此理平地可朝真

孫真人養生雜訣

人年四十以上勿服瀉藥常餌補藥大佳　人有所怒血氣未定因以合交令人發癰疽　遠行疲乏來入房室為五勞虛損少子　水銀不可近陰令人消縮鹿猪二脂不可近陰令陰痿不起　故善養生者常少思少念少慾少事少語少笑少愁少樂少喜少

怒少好少惡此十二少者養性之都契也　養性之道常欲少勞但莫大疲及強所不能堪耳且流水不腐户樞不蠹以其運動故也　常當習黄帝内視法存想思念令見五臓如懸磬五色了了分明勿輟也常以鼻引氣口吐氣小微吐之不得開口復欲得出氣少入氣多每欲食送氣入腹氣爲主人也凡心有所愛不用深愛有所憎不用深憎並皆損性傷神常欲令如飽中饑饑中飽蓋飽則傷肺饑則傷氣常須少食肉多食飯勿食生菜生肉令人傷胃一切肉唯須煑爛停冷食之食畢當漱口數過令人牙齒不

敗
勿食父母本命所屬肉令人壽命不長　勿食
自己本命所屬肉令人寃魂飛揚　勿食一切腦大
損人　忍尿不便膝冷成痺忍大便不便成氣痔大
小便不可努成病任之佳　凡遇山水塢中出泉者
不可久居常食令人患癭病　又深陰地冷水不可
飲必作痎瘧　濕衣及汗衣皆不可久着令人發瘡
春天不可薄衣令人傷寒霍亂　頭勿向北臥頭
邊勿安火爐　夜卧常習閉口開則失氣且邪惡從
口入及失血色　凡人夜魘不得燃燈喚之定死無
疑闇喚之吉亦不得近而急喚　夜夢惡不須説清

旦以水面東方噀之呪曰惡夢著草木好夢成珠玉即無咎矣又夢之善惡並勿說為吉　凡冬月忽有大熱夏月忽有大寒皆勿受之人有患夭時行氣皆犯此也　凡人居處勿令有小隙致有風氣得入小覺有風勿強忍之久坐須急避之使人中風古來忽得偏風四肢不遂者皆由忽此耳　凡在家及外行忽逢大風暴雨震雷昏霧皆是諸龍鬼神行動經過所致宜入室閉戶燒香靜坐安心以避之待過後乃出不爾損人

無輕攝養

太平興國九年　太宗謂宰相曰朕每日所為自有常節辰巳間視事既罷便即觀書深夜就寢五鼓而起盛暑晝日亦未嘗寢乃至飲食亦不過度行之已久甚覺有力凡人食飽無不昏濁倘四肢無所運用更便就枕血氣凝滯諸疾自生欲求清爽其可得乎老子曰我命在我不在於天全係人之調適卿等亦當留意無自輕於攝養也楊文公談苑

孫真人十二多

多思則神殆多念則志散多慾則志昏多事則形勞多語則氣乏多咲則臟傷多愁則心懾多樂則語溢

多喜則忘錯昏亂，多怒則百脉不定，多好則專迷不理，多惡則憔悴無歡。

抱朴子十五傷

才不逮強思之，力不勝強舉之，深憂重恚，悲哀憔悴，喜樂過度，汲汲所欲，戚戚所患，久談言笑，寢息失時，挽弓引弩，沉醉嘔吐，飽食即卧，跳走喘乏，歡呼哭泣，陰陽不交。瑣碎錄同上

攝養

薄滋味，省思慮，節嗜慾，戒喜怒，惜元氣，簡言語，輕得失，破憂沮，除妄想，遠好惡，收視聽，勤内顧。同上

衛生五事

夫未聞道者放逸其心逆於生樂以精神徇智巧以憂畏徇得失以勞苦徇禮節以身世徇財利四徇不置心為之病矣極力勞形躁暴氣逆當風縱酒食嗜辛鹹肝為之病矣飲食生冷溫涼失度久坐久臥大飽大飢脾為之病矣呼叫過常辯爭陪答冒犯寒暄恣食鹹苦肺為之病矣久坐濕地強力入水縱慾勞形三田漏溢腎為之病矣五病既作故未老而羸未羸而病病至則重重則必斃嗚呼是皆弗思而自取之也衛生之士須謹此五者可致終身無苦經曰不

治已病治未病正謂此矣

善攝生

善攝生者不勞神不苦形神形既安禍患何由而致也夫人之生以血氣為本人之病未有不先傷其氣血者世有童男室女積想在心思慮過當多致勞損男則神色先散女則月水先閉何以致然蓋憂愁思慮則傷心心傷則血逆竭血逆竭故神色先散而月水先閉也火既受病不能榮養其子故不嗜食脾既虛則金氣虧故發嗽嗽既作水氣絶故四肢乾木氣不充故多怒鬢髮焦筋痿俟五臟傳遍故卒不能死

然終死矣此一種於諸勞中最爲難治蓋病起於五臟之中無有已期藥力不可及也若或自能改易心志用藥扶持如此則可淂九死一生舉此爲例其餘諸勞可按脉與證而治之類編同上

保養

凡人一日一夜一萬三千五百二十息未嘗休息也減之一息則寒加之一息則熱臟腑不和諸疾生焉故元氣在保養谷神在守獲

調攝

卧處不可以首近火必有目疾亦不可當風必患頭

風等疾，皆受風則嗽。唯胷無禁，善調攝者雖盛暑不當風及露下久卧。瑣碎録

真人養生銘

人欲劳於形，百病不能成。飲酒勿大醉，諸疾自不生。食了行百步，數以手摩肚。寅丑日翦甲，頭髮梳百度。飢即立小便，飽即坐旋溺。行處勿當風，居止無小隙。過夜濯足卧，飽食終無益。思慮最傷神，喜怒最傷氣。每去鼻中毛，常習不唾地。平明欲起時，下床先左脚。一日無災殃，去邪兼避惡。如能七星步，令人長壽樂。酸味傷於筋，苦味傷於骨，甘即不益肉，辛多敗正氣。

醎多促人壽不滑偏耽嗜春夏少施泄秋冬固陽事獨卧是守真慎静最爲貴錢財生有分知足將爲利强知是六患少愆終無累神静自常安脩道宜終始書之壁屋中將以傳君子（修真秘訣）

芡能養生

吳子野云芡實蓋温平耳本不能大益人然俗謂之水硫黃何也人之食芡也必枚齧而細嚼之未有多嘬而亟嚥者也舌頰唇齒終日囁嚅而芡無五味腴而不膩是以致玉池之水故食芡者能使人華液通流轉相挹注積其力雖過乳石可也以此知人能澹

食而徐飽者當有大益吾在黄岡中見牧羊者必驅之瘠土云草短而有味羊得細嚼則肥而無疾羊猶爾况人乎

摩面

太素經曰一面之上兩手常摩拭使熱令人光澤皺班不生先摩擦兩掌令熱以拭兩目又順手摩髮理櫛之狀兩臂更互以手摩之髮不白脉不浮外

腎神

無錫游氏子少年躭於酒色旋得疾久而弗愈勢危甚忽語家人曰常見兩女子服餙華麗其長可三四

寸每緣吾足而行冉冉至腰而沒家人以爲妖祟他日名醫自遠而至諸游或以扣之醫曰此蓋腎神也腎氣絶則神不守舍故病着見之癸志

心腎肝膽

心之神發乎目則謂之視腎之神發乎耳則謂之聽肝之精發乎鼻則謂之嗅膽之魄發乎口則謂之言故妄視則傷心妄聽則傷腎妄嗅則傷肝妄言則傷膽

四損

遠唾損氣多唾損神多汗損血疾行損筋

精氣形

精者神之本氣者神之主形者氣之宅故神大用則歇精大用則竭氣大勞則絶

體欲動揺

魏志曰吳普甞問道於華佗佗謂普曰人體欲得動揺但不當使極耳如動揺則穀氣易消血脉流通病不得生譬猶戶樞不蠹流水不腐以其常動故也史記

金石藥之戒

服丹之戒

士大夫服丹砂死者前後固不一余所目擊林彥振

平日充實飲噉兼人居吳下每以強壯自誇有醫周公輔言得宋道方丹砂秘術可延年而無後害道方洪州良醫也彥振信之服三年疽發於腦始見髮際如粟越兩日鬢頷與胷背略平十日死方疾亟時醫使人以帛漬所潰膿血瀝之水中澄其下略有丹砂蓋積於中與毒俱出也謝任伯平日聞人畜伏火丹砂不問其方必求之服唯恐盡去歲亦發腦疽有人與之語見其疾將作俄頃間形神頓異而任伯猶未知覺既覺如風雨經夕死十年間親見此二人可以為戒矣石林老人避暑錄

五石散不可服

醫之為術苟非得於心而恃書以為用者未見能臻其妙如朮能動鍾乳按乳石論曰服鍾乳當終身忌朮五石諸般用鍾乳為主復用朮理極相反不知何謂予以問老醫皆不能言其義按乳石論云石性雖温而體本冷重必待其相蒸薄然後發如此則服石多著勢自能相蒸若要以藥觸之其發必甚五石散雜以衆藥用石殊少勢不能蒸須藉外物激之令發爾如火少必因風氣所鼓而後發火盛則鼓之反為害此自然之理故孫思邈云五石散大猛毒寧食野

嘗不服五石遇此方即須焚之勿為含生之害又曰人不服石庶事不佳石在身中萬事休泰惟不可服五石散蓋以五石散聚其所惡激而用之其發暴故也古人處方大體如此非此書所能盡也況方書仍多僞雜如神農本草最為舊書其間差殊尤多醫不可以不知也劉穎叔異苑

服丹之過

張中書慤自壯歲時無日不服丹砂暮年歸福州身體充腴飲啖加於人十倍其家困於供億獨一婭與婦竭力祗事張命以官每中夜苦飢但擊床屏須臾

以饅頭非五十枚不飽茹菜必十把常食羊肉必五斤經年之後姪家爲楞室忽髮際生瘍浸淫及頂巔然若高阜結爲三十六瘡旬餘爆裂有聲瘡翻而外向如人口反脣而卒庚志

服金石藥之戒

服金石藥着潛假藥力以濟其欲然多諱而不肯言一旦疾作雖欲諱而不可得也吳興吳景淵刑部服硫黃人罕有知者其後二十年長子稟爲華亭市易官發背而卒乃知流毒傳氣尚及其子可不戒哉泊宅編

川人服丹

川人好服丹蓋西北方土厚人稟氣盛可勝丹不爲所反南方魚鹽陰濕之地非宜服之大槩脾惡濕腎惡燥久服損腎其害尤大瑣碎錄

秋石不可久服

服秋石久而成渴疾蓋鹹能走血血走令人渴不能制水妄行同上

丹砂之戒

太學博士李于以進士爲鄂岳從事遇方士柳泌從受藥法服之往往下血比四年病益急乃死其法以

鉛滿一鼎以物按中為空實以水銀蓋封四際燒為丹砂云余不知服食說自何世起殺人不可計而世慕向之蓋至其此惑也在文書所記及耳相聞傳者不說今直取目見親與之游而以藥敗者六七公以為世戒工部尚書歸登殿中御史李虛中刑部尚書李遜遜弟刑部侍郎建襄陽節度使工部尚書孟簡東川節度御史大夫盧坦金吾將軍李道古此其人皆有名位世所共識工部既食水銀得病自說若有燒鐵杖自顛貫其下者摧而為火射竅節以出狂痛號呼乞絕其茵席嘗得水銀發且止唾血數十年以

斃。殿中疽發其背死。刑部且死，謂余曰：我爲藥誤。其季建，一旦無病死。襄陽黜爲吉州司馬，余自袁州還京師，襄陽乘舸邀我於蕭洲，屏人曰：我得秘藥，不可獨不死，今遺子一器，可用棗肉爲丸服之。別一年而病，其家人至，訊之，曰：前所服藥誤，方且下之，下則平矣。病二歲竟卒。盧大夫死時，溺出血肉，痛不可忍，乞死乃死。金吾以柳泌得罪，食泌藥，五十死海上。此可以爲誡者也。蘄不死乃速得死，謂之智，可不可也。五穀三牲、鹽醯果蔬，人所常御，人相厚勉，必曰強食。今惑者皆曰五穀令人夭，不能無食，當務減節鹽醯。

以濟百味豚魚鷄三者古以養老反曰是皆殺人不可食一筵之饌禁忌十常不食二三不信常道而務鬼怪臨死乃悔後之好者又曰彼死者皆不淂其道也我則不然始病曰藥動故病病去藥行乃不死矣及且死又悔嗚呼可哀也已昌黎文韓退之既知其害而晚年服硫黄而死見漁隱叢話

服水銀

侍其傳服水銀久之發癢爬搔成赤疹水銀隨爪出細如粟顆建炎中帥杭已昏不任事既罷疾革未屬纊諸姬皆散不禁可爲世戒泊宅編

金液丹無妄服

金液丹硫黄煉成乃純陽之物夏至人多服之反為大患有痼冷則宜服泊宅編

服丹多灸風市穴

江煥言馮悦御藥服伏火藥多腦後生瘡熱氣冉冉而上幾不濟矣一道人教灸風市穴十數壯雖愈時時復作又教馮以陰煉秋石以大豆卷濃煎湯下遂悉平和其陰陽也陰煉秋石法余普有之沈暘所傳是也大豆卷法大豆於壬癸日浸井花水中候豆生芽取皮作湯使之三槐王氏録

雷世賢丹藥

馬軍帥雷世賢家貲富厚侍妾數十人出戍建康一意嚴色常餌丹砂乳藥以濟其欲既求諸蜀道又多市金石珍品晝夜煎煉每日服食不去口使一妾謹信者專掌之妾父自臨安來依其女雷以近舍屋處之父苦寒泄不嗜食妾取雷所服丹十粒與之父但進其半下咽未久覺臍腹間如火少焉熱不可柰繞舍狂走且百匝後有井徑投其中家人救出之遍身已突起紫泡如巨李經日皆陷凡泡處輒成一穴深寸許呌呼六日而卒雷君平日所餌不啻千計了無

病惱此人才吞五粒旋喪厥身亦異矣

服丹自焚

王偁定觀著元符殿帥恩之子有才學好與元祐故家遊范元實溫潛溪詩眼中亦稱其能詩政和末爲殿中監年二十八矣眷注甚渥少年貴仕酒色自娛一日忽宣召入禁中上云朕近得一異人能製丹砂服之可以長生久視煉治經歲而成如紫金卿爲試之定觀欣躍拜命即取服之才下咽覺胷間煩躁之甚俄頃烟從口中出急扶歸已不救既殮之後但聞棺中剝啄之聲莫測所以已而火出其內頃刻之間

遂成烈焰室廬盡焚開封府尹亟救之延燒數百家方止但得枯骨於餘燼中亦可怪也范子濟云

丹發背疽

丁廣者明清里中老儒也與祖父爲輩行嘗任保州教授郡將武人而通判者戚里子悉多姬侍以酒色沉縱會有道人過郡自言數百歲能煉大丹服之可以飽嗜慾而康強無疾然後飛昇度世守貳皆之以先生之禮事之選日剏丹竈依其法煉之四十九日而成神光燭天置酒大合樂相慶然後嘗之廣聞之裁書以獻乞取刀圭以養病身道人者以其骨凡不

肯與守貳憐之為請僅滓半粒廣欣然服之不數日郡將通判皆疽發於背道人宵適守貳相繼告殂廣腰間亦生癤甚皇恐亟飲地漿解之滓愈明年考滿改秩居里中疾復作又用前法稍痊偶覺熱躁因澡身水入創口中遂不得起金石之毒如此者併書之于此以為世誡

丹緩其死

宋道方毅叔以醫名天下居南京然不肯赴請病者扶携以就求脉政和中田登守郡母病危甚呼之不至登怒云使吾母死亦以憂去殺此人不過斥責即

遣人擒至庭下呵之云三日之内不痊則吾當誅汝以徇衆毅叔曰容為診之既而曰尚可活處以丹劑遂癒田喜甚云吾一時相困辱然豈可不刷前恥乎用太守之車從妓樂酬以千緡俾群卒負於前增以綵釀導引還其家旬日後田母病復作呼之則全家遁去母遂殂蓋其疾先巳在膏肓宋姑以藥緩其死爾三說皆汝陰王明清餘話

婦人

婦人

孫真人云婦人之病比之男子十倍難治以嗜欲多

於丈夫故感病倍於男子蓋以慈戀愛憎嫉妒憂恚深着堅牢情不自抑遂因此成疾實非感冒外邪飲食起居失節之所致也誠以情想内結自無而生有是以釋氏稱談説酢梅口中水出想蹈懸崖足心酸澁心懷前人或憐或恨眼中淚盈貪求財寶心發愛涎舉體光潤太率如此若非寛緩情意則雖服金丹天藥則亦不能已法當令病者先存想以攝心抑情意以養性葛仙翁云凡婦人諸病兼治憂恚令寛其思慮則疾無不愈

婦人論

夫天地造端於夫婦乾坤配合于陰陽雖清濁動静之不同而成象效法之有類原兹婦人之病與男子不同者亦有數焉古方以婦人病比男子十倍難治不亦言之深乎但三十六病産蓐一門男子無之其如外傷風暑寒濕内積喜怒憂思飲食房勞虚實寒熱悉與丈夫一同也依源治療可得而知之

養胎大論

夫養胎須分能所母為能養子為所養名義既殊致養亦别故謂之重身父母交會之初子假父母精血投識於其間然後成娠元氣質始之謂也一月血聚

謂之始衃二月精凝謂之始膏三月成形為之始胎蚗亦無次第中次第也道生一一生二二生三三生萬物既以三而成不㝵不數月而分也成形之後陰陽施化男女始分隨見外象而有感於内四月始受少陰君火氣以養精五月受太陰濕土氣以養肉六月受少陽相火氣以養氣七月受陽明金氣以養骨八月受太陽水氣以養血九月受厥陰水氣以養筋十月臟腑俱備神明已全俟時而生此皆所養胎息之所成始成終也

避忌法

一月足厥陰脉養内屬於肝肝藏血不可縱怒及疲極筋力觸冒邪風亦不可妄鍼灸其經二月足少陽脉養内屬於膽膽合於肝共榮於血不可驚動及鍼灸其經三月手心主脉養内屬右腎腎主精不可縱慾及悲哀觸冒寒冷亦不得鍼灸其經四月手少陽脉養内屬三焦三焦精府合腎以養精不可勞逸及鍼灸其經五月足太陰脉養内屬於脾脾養肉不可妄思及飢飽觸冒卑濕亦不可鍼灸其經六月足陽明脉養内屬於胃胃為臟腑海合於脾以養肉不得[illegible]鍼灸其經七月手太陰脉養内屬於肺以養

皮毛不可憂鬱及呌呼觸冒煩燥亦不淂鍼灸其經八月手陽明脉養內屬於大腸合肺以養氣毋食燥物致氣澁及鍼灸其經九月足少陰脉養內屬于腎以養骨不可懷恐及房勞觸冒生冷亦不得鍼灸其經十月足太陽脉養內屬於膀胱以合腎太陽為諸陽主氣故使兒脉續縷皆成六腑通暢與毋分氣神氣各全俟辰而生唯不說手少陰心養者蓋心為五臟大主如帝王不可有為也若將理淂宜無傷胎臟更能知轉男胎藏之法斯為盡善

轉女為男法

論曰陽施陰化所以有姙遇三陰所會多生女子但懷姙三月名曰始胎血脉不流象形而變是時男女未定故令於未滿三月間服藥方術轉令生男也其法以斧置姙婦床下繫刀向下勿令人知恐不信者令待雞抱卵時依此置窠下一窠盡出雄鷄此雖未試亦不可不知凡受胎三月逐物變化故古人立胎教能令生子良善長壽忠孝仁義聰明無疾十月之內常見好境象遠邪僻真良教也

又

姙孕欲得男女覺有孕未滿月以弓弩弦為帶縛腰

中滿三月解轉女為男宮中秘法不傳房室經

視井生男

博物志曰婦人姙身三月未滿着婿衣冠平旦遶井三匝映水視影勿反顧必生男陳成者生十女其妻遶井三匝呪曰女為陰男為陽女多災男多祥鎖井三日不汲及期果生一男

天癸

女子二七而天癸至任脉通泰衝盛月事以時下有子丈夫二八腎氣盛天癸至精氣溢陰陽和故有子年老有子者氣脉常通腎氣有餘也有子男不過八

八女子不過七七而天地精氣竭矣子壽不過天癸之數

十月而生

精氣受於天形體稟於地一月而膏二月而胅三月而胎四月而肌五月而筋六月而骨七月而成八月而動九月而躁十月而生淮南子

姙孕避忌

婦人姙身不欲見醜惡物食當避異常味不可見兔令兒脣闕不可噉薑令兒多指博物志

郝翁醫婦人驗

郝翁者名允慱陵人晚遷鄭圃世以神醫目之里婦二一夜中口噤如死狀翁曰血脉滞也不用藥聞鷄聲自愈一行踸踔輒踣翁曰脉厥也當治筋以藥熨之自快皆驗士人陳堯遵妻病衆醫以為勞傷翁曰亟屏藥是為娠證且賀君得男子已而果然又二婦人妊一咽嘿不能言翁曰兒胞大經壅兒生經行則言矣不可毒以藥一極壯健翁偶診其脉曰母氣已死所以生者反恃兒氣耳如期子生母死翁所治病神異不可勝紀（邵氏後聞見錄）

妊婦不語

孕婦不語非病也聞如此者不須服藥臨産日但服保生丸四物湯之類産後便語亦自然之理非藥之巧豈其功也哉醫餘

半産正産

夫半産正産婦人之常事也然其間多有産後染成大患忽絶無月行忽宮臟虧損不禁忽積成癥瘕而歳久月深傾損性命此無他輕之以為半産而不甚將養之所致也不知半産之後其將養當過如正産十倍正産止血臟空虚半産即肌肉腐爛常切譬之正産有如果中之栗夫栗之為物俟其自熟陰陽氣

足則其殼自開而栗自墜方是之時子之與殼兩無所損如婦人懷孕十月已滿陰陽氣足則其子自開而兒子生下若月未滿足因誤服藥餌忽寒邪熱毒所傷忽扶輕擧重忽倒地打傷其胎臟傷損胞繫腐爛然後其胎墜下即有如世人採折新栗碎其皮殼就殼中斷其根蔕然後取得栗子此其半產之喻也以其胎臟傷損胞繫斷去而後胎墜下則其半產之人將養調治得不過如正產十倍者哉正產之後補其虛生其好血化其惡血保其臟氣去其風邪人人無有不安也半產之後補其虛生其肌肉益其血

窮其所因解其病去其風邪養其臟氣加之將養過如正産十倍傷損之胎無不平復也吁世之人多輕之至於傾危不可勝數淂不惜哉瑣碎録

産難

凡治産難之法有四一腎爲慳藏其氣以慳祕爲事如催生之方多用滑利迅疾之藥如兔腦筆頭灰弩牙蛇皮之類有水血先下子道乾澁令兒不能下者如猪脂蜜酒葱白葵子牛乳榆白皮滑石之類有稽停勞動之久風冷乘勞虛客於胞胎使氣血凝滯澁而不下如桂牛膝酒葱之類五積散加順元散煎服

尤妙有觸犯禁忌者如符法臘月兎腦朱砂乳香之類

催生歌

一烏梅三巴豆七胡椒細研爛搗取成膏酒醋調和臍下貼便令母子見分胞瑣碎録

產難厭勝

凡產難密以淨紙書本州太守姓名燈上燒灰湯調即產此雖厭勝頗驗百一選方

產後寒氣入腹

婦人產當寒月寒氣入產門臍下脹滿手不敢犯此

寒病也醫將治之以抵党湯謂其有瘀血嘗敎之曰非其治也可服張仲景羊肉湯少減水二服遂愈本草衍義

產婦頭疼寒熱

有婦人方產一兩月間頭疼發熱或發寒熱者何也其說有三一則作妳二則敗血不行三則傷風先以手按妳子妳痛者是作妳也宜服順氣散及瓜蔞末之類以通其妳更以溫湯洗之妳通則無事妳若不痛即問敗血行不行如敗血不行即是血作也急服行血藥如黑神散沒藥當歸之類妳既不痛敗血自

行而乃身熱頭疼或發寒熱是傷風也依傷寒法隨證治之醫餘

渴飲五味汁

一婦人暴渴唯飲五味汁名醫耿隅診其脉曰此血欲凝非疾也而果孕古方有血欲凝而渴飲味之證不可不知也

產難胞衣不出

陶隱居云產難取弓弩弦以縛腰及燒弩牙令赤內酒中飲之皆取法於快速之義也本草

懷子而不乳

菑川王美人懷子而不乳召淳于意往飲以莨礍藥一撮以酒飲之旋乳意復診其脉而脉躁躁者有餘病即飲以消石一齊出血血如豆比五六枚史記

孕婦逆生

孕婦欲産時遇腹中痛不肯伸舒行動多是曲腰眠卧忍痛其兒在腹中不能淂轉故脚先出謂之逆産須臾不救母子俱亡但用烏蛇蜕一條蟬蜕二七箇血餘一箇小兒胎髮以上三味燒為灰分為二服溫酒調下併進二服仰卧霎時其兒即時順生或用小絹鍼於小兒脚心刺三七刺急用鹽少許塗刺處即時順

生子母俱活也劉頴叔異兆

產後瘈瘲

婦人疾莫大於產蓐倉猝為庸醫所殺者多矣亦未素稱講故也舊常見杜壬作醫準一卷其平生治人用藥之驗其一記郝質子婦產四日瘈瘲戴眼弓背反張壬以為瘈病與大豆紫湯獨活湯而愈政和間余妻纔分娩猶在蓐中忽作此證頭足反接相去幾二尺家人驚駭以數婢強拗之不直適記所云而藥囊有獨活乃急為之召醫未至連進三劑遂能直醫到即愈矣更不須用大豆紫湯古人處方神驗類此

不可不廣告人二方在千金第三卷

運悶

凡産後運悶有四種有下血太多虚極運悶宜服羊肉湯兼黑神散有血下少血上逆於心亦令運悶如心腹刺痛宜服四物湯加桂黑神散芎藭散有體中素多風疾因産損傷氣血乘虚而運悶四物湯加防風羌活熱多者與獨活柴胡湯并治風痰藥有心氣將温過度邪熱上乘於心亦令人言語錯亂運悶者宜服鎮心補心丹生薑生地黄散至寶丹桃奴丸

婦人月水不通及不斷

婦人衝任之脉起胞中為候之海手太陽小腸之經也手少陰心之經也二經為表裏主下月水月水來如期謂之月信其不来者緣風冷傷本經故血結在内不通也或曾經唾血或吐血致血枯或醉以入室勞傷肝氣肝臟血竭於内俱令月水不通又胃氣虛不能消化水穀使津液不生血氣亦令月水不通其候腸中鳴是也但益津液則經血自下久不通者血結為塊若脾胃虛弱則變為水腫土不勝水故也其月水来而斷者由劳傷經脉衝任氣虛不能制經血也

漏下帶下崩中

婦人衝任二脉為十二經之海二經氣虚復為勞傷則不能制其血故非時即下淋瀝不斷謂之漏下其血與穢液相兼而下謂之帶下忽然暴下謂之崩中其色白為冷赤為熱赤白相兼有冷熱也東號婁居中食治通說同上

四物湯之功

四物湯婦人之寶也洛陽李敏求赴官東吳其妻病牙疼每發呻吟宛轉至不能堪忍令婢輩以釵股按置牙閒少頃銀色輒變黑毒氣所攻痛楚可知也淞

路累易醫殊無效嘉禾僧惠海爲製一湯服之半年所苦良已後因食熱麪又作坐間煑湯以進一服而愈其神速若此視藥之標題初不著名但云凉血活血而已敏求報之重徐以情扣之始知是四物湯蓋血活而凉何由致壅滯以生疾莫強中一侍人久病經阻發熱咳嗽倦怠不食憔悴骨立醫工往往作瘵疾治之其勢甚危惙強中曰婦人以血氣爲本血榮自然有生理因謝遣衆工專服此湯其法㕮咀每慢火煑取清汁帶熱以啜之空腹日三四服未及月餘經候忽通餘疾如失泊宅編

療師尼寡婦别製方

昔宋褚澄療師尼寡婦各製方蓋有此也此二種鰥居獨陰無陽欲心萌而多不遂是以陰陽交爭作寒作熱全類温瘧久則為勞嘗讀史記倉公傳載濟北王侍人韓女病腰背痛寒熱衆皆以為寒熱也倉公曰病得之欲男子不可得也何以知欲男子而不可得診其脉肝脉弦出是以知也蓋男子以精為主婦人以血為主男子精盛則思室婦人血盛則懷胎夫肝攝血者也厥陰弦出寸部又上魚際則陰血盛可知故知褚澄之言信有謂矣本事方

任氏面疾

興國初有任氏美色聘進士王公甫謂公甫不遂寸禄愁鬱不忿不期面色漸變黑自慚而歸母家求醫治遇一道人曰此乃病也吾有藥可愈任氏懇求得之曰女真散以酒下二錢日兩服數日間面微微變白一月如舊厚賂而得其方用黄丹女萎二物等分爲末爾（名醫録）

妊子

婦人手少陰脉動甚者妊子也少陰脉掌後陷者中當小指動而應手者也

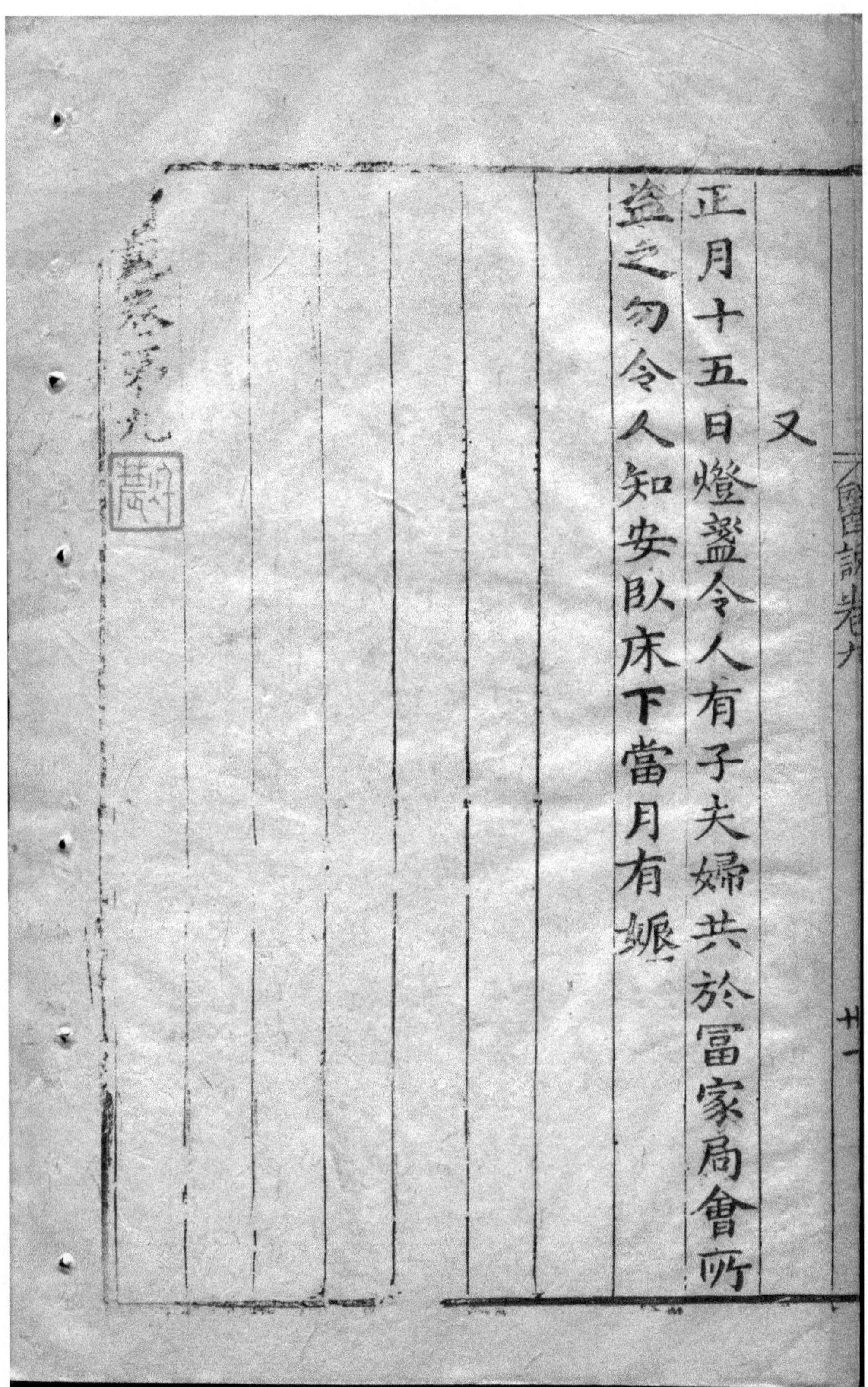

又

正月十五日燈盞令人有子夫婦共於富家局會所盜之勿令人知安臥床下當月有娠

醫説卷第十

小兒

小方

孫思邈千金方曰小兒六歲以下黄帝無説中古有巫妨始撰顱顖經以占壽夭自兹始有小方則小兒方藥始於巫妨也

善醫小兒

杜任郎中善醫里人王奉職宗簡時任於汝陽時有郡人孟生家甚温厚惟一子數歲抱疾他醫數人治之無驗召任治之數日而良已踰月而平復人詢任

曰君以何藥主之任語之故其人驚曰公所言皆藥之至温者也他人不取君用之能起其疾其義可聞乎任曰孟生富家也而衆醫皆用犀珠金銀主之其性至凉多則寒其胃又從而投之由是多不喜食曰蓋羸瘠則潰其元失其本矣吾之劑先温其胃使其飲食如故然後攻其他疾是以先壯其本而無失者焉又知杜君之善醫也如此青箱雜記

瘡豆禁鷄鴨子

瘵疒、豌豆瘡欲無瘢癩揭去痂勿令隱肌乃不成瘢縱揭傷有微血但以面膏塗無苦也瘡家不可食鷄

鴨卵即時盲瞽子如卵白其應如神不可不戒良方

小兒夜啼

井口邊草主小兒夜啼著母蓆薦下勿令知之酉陽雜俎

小兒不可食鷄

養生論曰鷄肉不可令小兒食食之令生蚘蟲又令體消瘦杜陽雜編

治兒語遲

社壇餘胙酒治小兒語遲以少許喫吐酒噴屋四角辟蚊蟲本草

兒滑母寒下痢

東陽陳叔山小兒一歲得下痢嘗先啼日以羸困問華佗佗曰其母懷軀陽氣內養乳中虛冷兒得母寒故令不時愈佗與四物女萎丸十日即除魏志

小兒感冷身熱

有小兒感冷身大熱惡寒此有表證用發汗藥汗出遂涼過一日復熱醫謂表解裏未解驗之服四順飲子利動臟腑一行遂涼隔一日又再熱醫云經熱未解驗之小便赤故知心熱未解服生氣湯遂涼過三日又熱其家無所措手醫曰脉已和非病也既發汗又利大小便其兒已虛陽氣無所歸皆見於表所以

身熱以和胃氣藥如六神散之類加烏梅煎令微覺有酸味收其陽氣歸自此全愈

小兒糞青

此脾虛生風之證也脾屬土其色黃糞黃則是脾家正色令乃青肝木尅脾也肝屬木其色青肝盛脾虛受肝之尅故糞青也當用益脾去風藥如半硫丸加白附子蝎稍可以治之雖然小兒青糞拋下便青者是風冷也良久然後青者非病也小兒糞自然如此

小兒瀉後脚弱

小兒因患泄瀉或痢氣脹藥瀉之却患咳嗽治淂咳

嗽少愈巳五六歲脚弱不能行師曰脾傳肺故咳嗽肺傳腎故不能行脾屬土土生金金生水故傳之腎腎主腰脚故不能行因用猪腰子煎汁服五疳保童九半月遂能行

小兒得地氣方行

小兒未會行能坐不可常常抱在手中何以入坐車能獨坐春夏坐於地上寒則以薦蓆襯之人得地氣方能行惜之過當常抱持之所以當行而不能行也萬物非土不生故小兒亦要得地氣也（以上醫録）

小兒初生畏寒

小兒初生候浴水未得且以綿絮包裹抱大人懷中煖之及浴了亦當如此雖暑月亦未可遽去綿絮漸漸去之乍出母腹不可令冒寒氣也預煎下沸湯以器收之臨時漸煖不犯生水則兒不生瘡以此一月為佳

小兒初生回氣

小兒初生氣欲絕不能啼者必是難產或冒寒所致急以綿絮包裹抱懷中未可斷臍且將胞衣置炭火爐中燒之仍撚大紙燈蘸油點之於臍帶上往來徧帶燎之蓋臍帶連兒臍滑火氣由臍入腹更以熱醋

湯捋洗臍帶須臾氣回啼哭如常方可浴洗了即斷
臍帶

小兒初生服藥

小兒初生急以綿裹指拭盡口中惡血若不急拭啼
聲一出即入腹成百病矣亦未須與乳且先與拍破
黃連浸湯取濃汁調朱砂細末抹兒口中打盡腹中
舊屎方可與乳兒若多睡聽之勿強與乳則自然長
而少病

小兒初生通大小便

小兒初生大小便不通腹脹欲絶者急令婦人以温

水先嗽口了吸咂兒前後心并臍下手足心共七處每一處凡三五次嗽口吸咂以紅赤爲度須臾自通不爾無生意有此證遇此法可謂再生

小兒夜啼有四證

小兒夜啼有四證一曰寒二曰熱三曰重舌口瘡四曰客忤寒則腹痛而啼面青白口有冷氣腹亦冷曲腰而啼此冷證也熱則心躁而啼面赤便赤口中熱腹煖啼時或有汗仰身而啼此熱證也若重舌口瘡則要乳嗍口到乳上便啼身額皆微熱急取燈照口若無瘡舌必腫也客忤者見生人氣忤犯而啼也

小兒傷乳食發熱

小兒傷乳及食者或時發熱熱有退時退熱後但肚熱或夜間熱者此傷乳食也其糞有酸臭氣異常千金紫丸主之

小兒發熱治法

小兒積熱者表裡俱熱熱則遍身皆熱頰赤口乾小便赤大便焦黃先以清涼四順飲子利動臟腑熱則去既去復熱者裡熱已解而表熱未解也當用惺惺散或紅綿散內加麻黃微發汗表熱乃去表熱去後又發熱者何也世醫到此盡不能曉或再用涼藥或再

解表或以謂不可醫誤致夭傷者甚多此表裡俱虛氣不歸元而陽浮於外所以再發熱非熱證也只用六神散入粳米煎和其胃氣則收陽氣歸内身體便涼熱重者用銀白散

小兒血熱

小兒血熱者每旦食後發熱夜則涼世醫多謂虛勞或謂疳熱此血熱也宜用猪膽丸

急慢驚風

小兒發搐俗云驚風有陰陽證因身熱面赤而發搐搦上視牙關緊硬者陽證也因吐瀉或只吐不瀉日

漸面色白脾虛或冷而發驚不甚搐搦微微目上視手足微動者陰證也陽證用凉藥陰證用温藥不可一槩作驚風治也又有一證欲發瘡疹先身熱驚跳或發搐搦此非驚風當服發散藥

小兒吐瀉用藥

小兒暑月多吐瀉其證不一宜詳審用藥不可差謬有伏暑吐瀉小水必不利宜服五苓散香薷散有傷食吐瀉者其吐及糞皆有酸臭氣宜服感應九三方易知令不復載瀉多日口唇白及糞色亦白及瀉糞頗多著困而成冷也宜以前方六神散每二錢匕加

附子末一錢匕煎作三四服以防變癇也

小兒瀉痢

小兒暑月多瀉者一則伏暑心藏熱小水不利清濁不分因成泄瀉可服五苓散或大順散二藥皆用沸湯調若小水快而瀉者冷瀉也宜於六神散内加附子煎服若肚大瀉色白者脾瀉也宜服官局六神丸瀉者不可急以熱藥止之若以熱藥止之便變成痢凡病痢者皆因有積赤痢熱積也白痢冷積也赤白痢冷熱不調之積也赤多白少者熱多而冷少也白多赤少者冷多而熱少也

小兒解顱

小兒解顱曾有人作頭巾與裹遮護之乆而自合亦良法也

瘡疹

小兒生未有不發瘡疹自一歲至十歲至十二三歲須發一次家有數小兒一兒病此餘即次第皆及之便當防慎其證有身熱頭痛如傷寒狀但不惡風唯惡熱所以異於傷風者唇紅尻骨及耳尖皆冷或腹痛眼澁及口舌皆痛腹痛者腹中先出眼澁者眼中先出咽喉及口舌痛者皆先有瘡也或如沙如粟米

狀或為癮疹如風泛狀皆其證也熱輕者瘡亦輕熱重者瘡亦重方其身熱時瘡未出直待身凉方出亦不可不知其未出亦須服藥唯是認得證候分明以投湯劑庶不悞人性命也未出時只可服升麻湯紅綿散地龍散消毒飲此皆平平藥或見兒身不甚熱即飲少酒熱甚者不可飲酒

瘡疹有表裏證

小兒瘡疹有表裏證其瘡皮不薄如赤根白頭漸漸赤腫而有濃差遲者謂之木豆此裏證發於藏也其瘡皮薄如水泡破即易乾者謂之水豆此表證發於

腑也發於臟者重發於腑者輕熱重者至有見鬼神
目上視發搐搦如驚癎之狀世人誤認驚癎投以冷
藥無不為害者不可不慎也如覺熱大盛涎壅平平
藥不可攻者宜以雄黃解毒丸利之以減其毒須徧
身以燈照仔細看覷如未有紅點子出者可下之既
出則不可利恐蓄伏也

瘡疹黏衣用牛糞

小兒瘡疹出了變身潰膿沾黏衣衾睡卧不得着用
臘月黄牛糞日乾燒灰鋪一寸許在牀上令卧之其
間瘡有大成片無皮及有成豆癰者皆用牛糞灰摻

之即愈

剥瘡痂免成瘢

小兒面上瘡子纔膿出急以真酥潤之頻潤爲佳纔有瘡痂急剥去更潤之痂硬不落有礙肉生遂成瘢子此理昭然人多不曉反謂剥早成瘢甚誤也

瘡疹不可洗面

小兒瘡疹不可洗面生水入眼即損眼也唯要忌口止可食粥及鯽魚青魚鵪子之類餘魚及豬羊肉皆不可食恐損眼也

瘡疹用胭脂塗眼

小兒瘡疹未出認得是此證急以臙脂塗眼週迴令瘡不入眼亦甚妙

瘡疹後眼清凉飲子

小兒瘡疹皆出盡身已凉喜食物亦稍能轉動以清凉飲子濃煎量兒大小與之須利三二行即安樂後不發熱不腫眼不鼻衂不患痢世人不用此法者於此數證恐不能免也

小兒丹毒

小兒丹者風熱積毒所成冬間火烘衣藉不候冷以衣兒或夜間盖覆太煖日間親火或妳孃喜食燒炙

物飲酒之類皆致兒病丹也或發於手足或發於頭面胷背其熱如火輕輕着手則痛不可忍急爲砭出血爲上策千金有服食并搨湯皆可用以上皆李左司保生要方

小兒吐瀉後成慢驚

小兒吐瀉或成慢驚昏睡手足似搐而不甚搐金液丹半兩白丸子三錢同研極細生薑米飲調下三錢多服乃效服至一二兩無害候胃氣已生手足漸煖漸減金液丹增白丸子以意詳之

小兒初生不飲乳

小兒初生不飲乳及不小便嬭汁二合葱白一寸分

四破右以銀石器煎取一合注子灌立愈

兒臍血出

小兒初生未滿月多啼呌致臍中血出以白石脂末貼之即愈未愈微微炒過放冷再貼仍不得剥揭

兒臍久不乾

當歸焙乾爲末右著臍中頻用自差予家小兒病臍濕出濃及清水者五十餘日一傳而乾後因尿入瘡復病又溽傳愈旅

薏苡浴兒

薏苡葉煎湯浴初生嬰兒一生少病暑月可作熟水

暖胃益氣血 瑣碎錄

臍風撮口

小兒初生一七內忽患臍風撮口百無一活坐視其斃者皆是良可憫有一法極驗世罕有知者凡此兒齒齦上有小泡子如粟米狀以溫湯蘸熟帛裹手指輕輕擦破即口開便安不用服藥神妙 保生方

瘡

瘍生於頰

雄黃治瘡瘍尚矣周禮瘍醫只療瘍以五毒攻之鄭康成注云今醫方合五毒之藥用黃蝥置石膽丹砂

雄黃礬石磁石其中燒之三日三夜其烟上著以鷄羽取之以注瘡惡肉破骨則盡出楊大年嘗筆記其事族人楊嶠年少時有瘍生於頰連齒輔車外腫若覆甌内潰出膿血不輟吐之痛楚難忍療之百方彌年不差人語之依鄭法製藥成注之瘡中少頃朽骨連兩牙潰出遂愈後更安寧信古方攻病之速也黄螢即死合也本事方

木癡成瘡

南方多雨有物曰木癡其大縣類鼻涕積陰而生於古木之上闖人氣則閃閃而動人過其下有墮於人

體間者即立成瘡久則遍其肌體時有客患其木𤸷之瘡遇一道士謂曰以朱砂麝香塗之即愈客如其言果愈

耳塞敷瘡

鄭師甫云嘗患足上傷作瘡水入腫痛不可行步有丐者令以耳塞敷之一夕水盡出愈邵氏見聞録

壁土治瘡爛

暑月肌膚瘡爛或因搔成瘡者林才中嘗暑月卧病肌膚多瘡爛汁出有一乳媼曰此易差也取乾壁土搡細末傅之隨手即差良方

治瘡久不合

露蜂房蛇蜕皮亂髮各燒灰存性取一錢匕酒服治瘡久不合東坡大全

治下疳瘡

有富家子唐靖年十八九未娶忽於陰頭上生瘡初只鍼眼來大小畏疼不敢洗刮日久攻入皮肉連莖爛一二寸許醫者止用膏藥貼之愈疼亦無人識此瘡有貧道周守真曰此謂下疳瘡亦名妬精瘡緣為後生未娶精氣益盛陽道興起及當泄不泄不泄强泄脹斷嫩皮帕疼痛失洗刮攻入皮内日久遂爛有

害郄命者靖告先生爲治之守眞曰若欲治此疾須是斷房事數日先用荆芥黄皮馬鞭草甘草剉入葱煎湯洗之去膿靨以訶子燒灰入麝香乾摻患處令睡睡醒服冷水兩三口勿令陽道興起脹斷瘡靨堅即愈（庚志）

遍身患瘡

凡人患瘡遍身有百藥不效者用檳榔一箇爲細末生硫黄一錢同研細入膩粉一錢和均每用一錢安手心内油調塗外腎不得洗手但擦手令乾可也一兩日間瘡便愈

臕瘡

有一種臕瘡赤腫而痛用黃連黃蘗之類皆涼藥也久而不愈其瘡冷矣却當用溫藥如鹿角灰頭髮灰乳香之類治之當愈此陰陽寒暑往來之理也醫餘

疊瘍

人身血氣周身不知幾千息凡人血行而擁則瘡瘍於虛冗處則生核謂之疊瘍疊瘡生也瘡差核亦消東坡物類相感志

獺髓補瘡

吳孫和寵鄧夫人嘗醉舞如意誤傷鄧頰血流嬌婉

彌若命太醫合藥言得白獺髓雜玉與琥珀屑當滅此痕和以百金購得白獺乃合膏琥珀太多及差痕不滅左頰有赤點如痣酉陽雜俎

石菖蒲愈瘡

有人患遍身生熱毒瘡痛而不癢手足尤甚然至頸而止粘着衣被曉夕不得睡痛不可任有下俚教以菖蒲三斗剉日乾之舂羅為末布席上使病人恣臥其間仍以被衣覆之既不粘着衣被又復得睡不五七日之間其瘡如失後自患此瘡亦如此應手神驗其石菖蒲絡石者節密入藥須此等

風熱細瘮

有人病遍身風熱細瘮癢痛不可任連胷脛臍腹及近隱處皆然痰涎亦多夜不得睡以苦參末一兩皂角二兩水一升揉濾取汁銀石器熬成膏和參末為丸桐子大三二十丸溫水下食後次日便愈

風毒濕瘡

有婦人患臍下腹上下連二陰遍滿生濕瘡如馬爪瘡他處並無癢熱而痛大小便澁出黃汁食亦減身面微腫醫作惡瘡治用鰻鱺魚松脂黃丹之類藥塗上瘡愈熱痛愈甚治不對故如此問之此人嗜酒貪

啗喜魚蝦發風之物急令用溫水洗拭去膏藥尋以馬齒莧四兩爛研細入青黛一兩再研均塗瘡上即時熱減痛癢皆去仍服八正散日三服分散客熱每塗藥得一時久藥已乾燥又再塗新濕藥凡如此二日減三分之一五日減三分之二自此二十日愈既愈而問曰此瘡何緣至此曰中下焦蓄風熱毒氣若不出當作腸癰內痔仍須常禁酒及發風物然不能禁酒果然患內痔王説本草衍義

患瘡

踐壞竈土令人患瘡蹋雞子殼令人得白癜風

魚臍瘡

皇祐中學究任道腿間患一瘡始發赤腫復絕便變黑後究則有黃水出四邊浮漿起累治不差醫王通看之此瘡狹長似魚臍下瘡也遂以大鍼鍼四向并中隨鍼有紫赤水汁出如豆汁言此一因風毒蘊結而成二因久坐血氣凝滯而致三因食肉有人汗落其間也道曰素好讀書而久坐此疾數歲前夏月道中買猪脯味水飯疑似人肉食已後得斯疾通曰與誤食人汗不遠矣以一異散子用雞子清調傳其瘡日三易數日得愈道堅求其方通曰止用雪玄一味

自後累訪名醫求其雪玄何物醫皆不識道因至許鄭間會醫者郝老曰嘗記聖惠有一方治此疾用臘月猪頭燒灰以鷄子清調傅此乃是也雪玄非郝老博學多記後醫豈不惑耶名醫錄

頭瘡禁用水銀

小兒頭有瘡有虱切不可用水銀擦自瘡而入經絡必緩筋骨百藥不能治醫方併云人有患漆瘡者不可以朱漆器炙熱熨之恐朱中有水銀入經絡也黑漆器則不妨此方正類以生草烏塗白秃以巴豆薰瘡而致死者瑣碎錄

治惡瘡

南豐市民嚴黃七兩足生瘡臭穢潰爛衆皆驅斥不容迹出貨角器於村野而旅邸又不容至京潛投宿於五夫人祠下夜半遣黃衣吏訶逐曰何人敢以腐穢腳觸汚此間謝曰不幸纏惡疾無處見容冒死來此紛拏次夫人抗聲令勿逐且呼使前曰吾授汝妙方用漏蘆子一枚生乾爲末入臘粉少許井水調塗當效嚴拜謝依而治之果愈（類編 同上）

治善惡瘡

仁宗在東宮時嘗患痄腮命道士贊能治療取赤小

豆四十九粒呪之雜他藥爲末傳之而愈中貴任承亮在傍知狀後承亮自患惡瘡瀕死尚書郎傳求授以藥立愈問其方赤小豆也承亮始悟道士之技所謂誦呪乃神其術爾久之沿官過豫章或苦脅疽幾達五臟醫者治之甚捷承亮曰君得非用赤小豆邪醫驚拜曰某用此活三十口願勿宣言周少隱病宗室彥符傳之曰善惡諸瘡無藥可治者皆能治有僧發背狀如爛瓜周鄰家乳婢復疽作用之皆如神其法細末水調傳瘡及四傍赤腫藥落再傳之同上

搔髮際成竅出血

項有一人指縫中因搔癢遂成瘡有一小竅血濺出不止用止血藥及血竭之類亦無效數日遂不起後有一人於耳後髮際搔癢亦有一小竅出血與前相似人亦無識者適有一道人言此名髮泉但用多年糞桶箍曬乾燒灰傳之當愈果如其言使前指縫血出遇此亦必愈

病肥脉

許慎云人病肥脉癮疹當取人姓曹氏帛布拭之則愈也

傳瘡

燈花末傳金瘡止血生肉令瘡黑今燭花落有喜事不爾得錢之兆也本草

病癩

趙瞿病癩歷年醫不差乃賫糧棄送於山穴中瞿自怨不幸吁嘆涕泣經月有僊人經穴見而哀之具問其詳瞿知其非常人叩頭自陳乞命於是僊人取囊中藥賜之教其服百餘日瘡愈顏色悅肌膚潤僊人再過視之瞿謝活命之恩乞遺其方僊人曰此是松脂彼中極多汝可煉服之長服身轉輕力百倍登危陟險終日不困年百歲齒不墮髮不白夜臥嘗見有

光大如鏡（抱朴子）

脚瘡

有人患脚瘡冬月頓然無事夏月臭爛疼痛不可言一道人視之曰爾因行草上惹着蛇交遺瀝瘡中有蛇兒冬伏夏出故疼痛也以生蝦蟆擣碎傳之日三四換凡三日有一小蛇自瘡中出以鐵鉗取之其病遂愈（摭青雜說）

黄連愈癬

指揮使姚歡年八十餘鬚髮不白自言年六十歲患癬疥周匝頂踵或教服黄連遂愈久服故髮不白其

法以宣連去鬚酒浸一宿焙乾爲末蜜丸桐子大日乾臨臥酒呑二十粒東坡大全

五絶病

五絶

五絶病者一曰自縊死氣已絶二曰牆壁屋崩壓死氣已絶三曰溺水死氣已絶四曰鬼魘死氣已絶五曰產乳死氣已絶並能救治之問葛生授何人得此神術能活人命生曰我因入山採藥遇白衣人問曰汝非葛醫生否豕乃半夏之精汝遇人有五絶之病用我救治即活但用我作末水丸令乾入鼻中即生

矣名醫錄

治卒死

劉太丞毘陵人有鄰家朱三只有一子年三十一歲忽然卒死脉全無請太丞治之取齊州半夏細末一大豆許納鼻中良久身微暖氣更甦迤邐無事人問卒死太丞单方半夏如何活得死人答曰此南岳魏夫人方出外臺秘要

凍死

人踏逢淒風苦雨繁霜大雪衣服沾濡冷氣入臟致令陰氣閉於内陽氣絶於外榮衛結澁不復通故致

禁絶而死若早得救療血温氣通則生又云凍死一日猶可活過此則不可也

溺死

人為水所沒水從孔竅入灌注臟腑其氣壅閉故死若早拯救得出則泄瀝其水令氣得通便得活也又云半日及一日猶可活氣若已絶心上暖亦可活

自縊

人有不得志意者多生忿恨往往自縊若覺早雖已死徐徐捧下其陰陽經絡雖暴壅閉而臟腑真氣未盡所以猶可救若遽斷其繩則氣不能還不得生又

云自旦及暮雖冷猶可活自暮至旦則難活此謂晝則陽盛其氣易通夜則陰盛其氣難通又云夏熱易治氣雖斷而心微溫一日以上猶可活

夏日熱倒人法

暑月熱倒人昏迷悶亂急扶在陰涼處切不可與冷飲當以布巾衣物等蘸熱湯覆臍下及氣海間續續以湯淋布帛上令徹臍腹但暖則漸醒也如倉卒無湯處掬道上熱土於臍端以多為佳冷則頻換也後與解暑毒藥若纔熱倒便與冷飲或用冷水淋之類即死舊有一法或道塗無湯處即掬熱土於臍上仍

廣湖作窩子令衆人旋溺於其中以代熱湯亦可取效解者用白虎湯竹葉石膏之類凡覺中暑急嚼生薑一大塊冷水送下如已迷悶嚼大蒜一大瓣冷水送下如不能嚼即用水研灌之立醒路中倉卒無水渴甚急嚼生葱二寸許和津同嚥可抵飲水二升集驗方

疝癖痺

湧疝

齊郎中令循病衆醫皆以為蹷人中而刺之淳于意診之曰湧疝也令人不得前後溲循曰不得前後溲

三日矣意飲以火齊湯一飲得前溲再飲大溲三飲而疾愈病得之内所以知循病者切其脉時右口氣急脉無五臟氣右口脉大而數數者中下熱而湧左為下右為上皆無五臟應故曰湧疝中熱故溺赤也

氣疝

齊北宮司空命婦出於病衆醫皆以為風入中病主在肺刺其足少陽脉淳于意診其脉曰病氣疝客於膀胱難以前後溲而溺赤病見寒氣則遺溺使人腹腫出於病得之欲溺不得因以接内所以知出於病若切其脉大而實其來難是厥陰之動也脉來難者

疝氣之客於膀胱也腹之所以腫者言厥陰之絡結小腹也厥陰有過則脉結動動則腹腫意即灸其足厥陰之脉左右各一所即不遺溺而溲清小腹痛止即更為火齊湯以飲之三日而疝氣散即愈

牡疝

安陵阪里公乘項處病淳于意診脉曰牡疝牡疝在膈下上連肺病得之内意謂之慎無為勞力事則必嘔血死處後蹴踘要蹷寒汗出多即嘔血意復診之曰當旦夕死即死病得之内所以知項處病者切其脉得番陽番陽入虛裏處旦夕死一番一絡者牡疝

也意曰他所診期决死生及所活已病衆多頗忘之不能盡識不敢以對

肺消癉

齊章武里曹山跗病淳于意診其脉曰肺消癉也加以寒熱即告其人曰死不治適其共養此不當醫治法曰後三日而當狂妄起行欲走後五日死即如期死山跗病得之盛怒而以接内所以知山跗之病者意切其脉肺氣熱也脉法曰不平不鼓形弊此五臟高之遠數以經病也故切之時不平而代不平者血不居其處代者時參擊並至乍躁乍大也此兩絡脉

絶故死不治所以加寒熱者言其人尸奪尸奪者形弊形弊者不當關灸鑱石及飲毒藥也臣意未往診時齊太醫先診山跗病灸其足少陽脉口而飲之半夏丸病者即泄注腹中虚又灸其少陰脉是壞肝剛絶深如是重損病者氣以故加寒熱所以後三日而當狂者肝一絡連屬結絶乳下陽明故絡絶開陽明脉陽明脉傷即當狂走後五日死者肝與心相去五分故曰五日盡盡則死矣

腎痺

齊王黄姬兄黄長卿家有酒召客召淳于意諸客坐

未上食意望見王后弟宋建告曰君有病往四五日君腰脅痛不可俛仰又不得小溲不亟治病即入濡腎及其未舍五臟急治之方今客腎濡此所謂腎痺也宋建曰然建故有腰脊痛往四五日天雨黄氏諸倩（倩者女壻也）見建家京下方石（京者倉廩之屬）即弄之建亦欲效之效之不能起即復置之暮腰脊痛不能溺至今不愈建病得之好持重所以知建病者臣意見其色太陽色乾腎部上及界要以下者枯四分許故以往四五日知其發也意即以柔湯使服十八日而病愈

腎痺

古有患胷痺者心中急痛如錐刺不得俛仰蜀醫爲胷府有惡血故也遂取生韭數斤擣汁令服之即果吐出胷中惡血遂差又蕭炳謂小兒初生宜與韭根汁灌之吐出惡血長則無病驗韭能歸心氣而去包中惡氣治胷中也名醫録

熱病氣

齊中御府長信病淳于意入診其脉告曰熱病氣也然暑汗脉少衰不死曰此病得之當浴流水而寒甚已而熱信曰唯然往冬時爲王使於楚至莒縣陽周水而莒橋梁頗壞信則擥車轅未欲渡也馬驚即墮

信身入水中幾死吏即來救信出之水中衣盡濡有間而身寒已熱如火至今不可以見寒意即爲之液湯火齊逐熱一飲汗盡再飲熱去三飲病已即使服藥出入二十日身無病者所以知信之病者切其脉時并陰脉法曰熱病陰陽交者死切之不交并陰并陰者脉順清而愈其熱雖未盡猶活也腎氣有時間濁在太陰脉口而希是水氣也腎固主水故以此知之失治一時即轉爲寒熱

脾氣

齊丞相舍人奴從朝入宮淳于意見之食閨門外望

其色有病氣意即告宦者平平好為脉學臣意所意即示之舍人奴病告之曰此傷脾氣也當至春膈塞不通不能食飲法至夏泄血死宦者平即往告相曰君之舍人奴有病病重死期有日相君曰卿何以知之曰君朝時入宮君之舍人奴盡食閨門外平與倉公立即示平曰病如是者死即召舍人奴而謂之曰公奴有病不舍人曰奴無病身無痛者至春果病至四月泄血死所以知奴病者脾氣周乘五臟傷部而交故傷脾之色也望之殺然黃察之如死青之玆衆醫不知以為大蟲不知傷脾所以至春死病者胃氣

黃黃者土氣也土不勝木故至春死所以至夏死者脉法曰病重而脉順清者曰内關内關之病人不知其所痛心急然無苦若加以一病死中春一愈順及一時其所以四月死者診其人時愈順愈順者人尚肥也奴之病得之流汗數出灸於火而以出見大風也以上史記

脾癉

有病口甘者土氣之溢也名曰脾癉有病口苦者名曰膽癉

胃胆

已食如饑者胃疸胃熱則消穀也面腫曰風足脛腫曰水目黃曰黃疸

醫功報應

許學士

許叔微少嘗以登科為禱一夕夢神告曰汝欲登科須憑陰德叔微自念家貧無力惟醫乃可於是精意方書久乃通妙人無高下皆急赴之既而所活愈多聲名益著復夢其神受以一詩曰藥有陰功陳樓間處堂上呼盧喝六作五是年登第六名進士第上一名陳祖言下一名樓材及注関用升甲恩如第五名

授職官以歸與詩中之言無一字差此則濟人之病急者也

聶醫善士

儀州華亭人聶從志良醫也邑丞妻李氏病垂死治之得生李氏美而淫慕聶之貌他日丞往旁郡李偽稱疾使邀之伺其至語之曰我幾入鬼録賴君復生顧世間物無足以報德願以此身供枕席之奉聶驚懼趨而出迨夜李復盛飾而就之聶絶袖脫去乃止亦未嘗與人言後歲餘儀州推官黄靖國病陰吏逮入冥証事且還行至河邊見獄吏捽一婦人剖其腹

濯其腸而滌之傍有僧語曰此乃子同官某之妻也欲與醫者聶生通聶不許可謂善士其人止六十壽以此陰德遂延一紀仍世世賜子孫一名官婦人減筭如聶所增之數所以蕩滌腸胃者除其淫也靖國素與聶善既甦密往訪之聶驚曰方私語時無一人聞者而奔來之夕吾獨處室中此唯婦人與吾知爾君安所得聞靖國具以告聶死後一子登科其孫圖南紹興中爲漢中雒縣丞屬僊井喻迪孺汝礪作隱德詩數百言以旌潛德此不復載夷堅志

用詭道以劫流俗

王居安秀才久苦痔疾聞蕭山有善工力不能招致遂命舟自烏程走錢塘舍於静即中使人迎醫醫絶江至杭既見欣然爲治藥餌且云請以五日爲期可以除根本初以一藥放下大腸數寸又以一藥洗之徐用藥線結痔信宿痔脱其大如桃復以藥餌調養數日遂安此工初無難色但放下大腸了方議報謝之物病者知命懸其手盡許行橐爲酬方許治療又

玉山周僅調官京師舊患膀胱氣外腎偏墜有貨藥人云只立談間可使之止約以萬錢及三縑之報相次入室中施一鍼所苦果平周大喜即如數負金帛

而去後半月其疾如故使人訪醫者已不見矣古之賢人或在醫卜之中今之醫者急於斂利率詭道以刼流俗殆與究坯挾刄之徒無異予目擊二事令書之以為世警泊宅編

徐樓臺

當塗外科醫徐樓臺孫大郎於紹興八年療溧水縣蠟山富民江舜明背疽因邀謝錢三百千之外復覓銀二十伍兩未許遂以紙撚點藥入瘡病甚致斃不一年徐病熱哀叫不絕但云舜明莫打我數日死其子隨母改嫁其醫遂絕丁志

符助教

宣城符裡鎮人符助教治癰疽操心亡狀病者瘡不毒先以藥發之忽一黄衣卒來持片紙示之云陰司追汝以藤杖點其背符大叫痛黄衣曰汝元來也知痛隨手成大疽而死

水陽陸醫

宣城管内水陽村醫陸陽字義若以技稱建炎中朱莘老編脩妻避盗驚憂致疾陸誤投以小柴胡湯殺之溧水高淳鎮李氏子病瘵召之用功未效從出娼家飲索錢并酒饌不與投以剛劑數十粒又殺之紹

興九年陸暴病呼曰朱宜人李六郎休打我我便去也旬日死（同上）

醫僧瞽報

温州醫僧法程字無枉少瞽百端治之不愈但晝夜誦觀世音菩薩名號如是十五年夢中聞菩薩呼之使前若有物繫其足不可動菩薩嘆曰汝前世為灸師誤灸損人眼今生當受此報難以免但吾憐汝誠心當使汝衣食豐足遂探懷中掬寶珠滿手與之既寤醫道大行衣鉢甚富至七十餘猶在（甲志）

下胎果報

京師有一婦人姓白有美容京人皆稱為白牡丹貨下胎藥為生忽患腦疼日增其腫名醫治之皆不愈日久潰爛臭穢不可聞每夜聲喚遠近皆聞之一日遂說與家中云我所蓄下胎方盡為我焚之戒子弟曰誓不可傳此業其子告母云我母因此起家何棄之有其母曰我夜夜夢數百小兒咂我腦袋所以疼痛呌喚此皆是我以毒藥壞胎獲此果報言訖遂死名醫錄

殷承務

宜興殷承務醫術精高然貪顧財賄非大勢力者不

能屈致瞿忠惠公居常熟欲見之不可誘平江守梁尚書邀之始來既囬平江適一富人病來謁醫段曰此病不過湯藥數劑可療然非五百千為謝不可其家始許半酬拂衣去竟從其請別奉銀五十兩為藥資段求益至百兩乃出藥為治數日愈所獲西歸中塗夜夢一朱衣曰上帝以爾為醫而厚取賄賂殊無濟物之心命杖脊二十遂勅左右捽而鞭之既寤覺脊痛呼僕視之瘢痕宛然還家未幾而死志巳

鮑君大王

明州人家女既嫁歸寧媵妾幽蘭從羣婢往後園挑

藥忽悶眩仆地言語無倫如有憑附扶至房半日方醒問其故曰吾必死矣吾前生是河北眼科醫有村媪獨處病赤目吾陰利其貲投轉藥殺之盡掩室中之藏外無一知者媪訴諸東嶽命逮治而吾冥數未竟不可尋索後二十年前身死又注生此州媪久抱恨泉壤復往訴嶽帝憐之擇健鬼賫文書諸天下郡縣求訪殆遍末乃到浙東既至此將入城閽卒呵問示以文書卒曰是城隍符耳吾城中事乃鮑君大王主之城隍無預拒不得入鬼與媪逡巡至城外三十里高橋下潛伏累日別有鬼吏從西來亦駐橋邊與

嶽駃吏問訊吏曰吾正隸鮑君為急足近往洞庭君山廟投書回幸此相遇吾極念汝能從吾行當祈城卒令入也二人拜謝偕往果滑入徑詣鮑君殿下呈檄鮑君展視曰此檄城隍神也汝何自而入駃悉以實告鮑君呼曩吏曰只差汝同追吏嚴喏挾駃嫗同出數日不值一夕中秋街巷聞老婦燒夜香者祝云有女子在其宅為從嫁其詞云云嫗欣然曰冤家可得矣趨至其居而門神不納又伏藏後園適審諦已為冥中所録行且就逮宿世冤債定無脫理家人欲召巫史救之未暇媵自持刀剔雙目而死戌志

醫不貪色

宣和間有一士人抱病經年百治不痊有何澄者善醫其妻召至引入密室中告之曰妾以良人抱疾日久典賣殆盡無以供湯藥之資願以身相酬醫正色拒之曰小娘子何為出此言但放心當為調治取効切不可以此相污萬一外人知之非獨使某醫藥不效不有人誅必有鬼責未幾其夫疾愈何澄一夕夢神引入神祠有判官語之汝醫藥有功不於艱急之際以色慾為貪亂良人婦女　上帝令賜汝錢五萬貫官一資未數月東宮淂疾國醫不能治有詔召草

澤醫澄乃應詔進劑而愈朝廷賜錢三千貫與初品官自後醫道盛行京師號為何藥院家

醫以救人為心

醫者當自念云人身疾苦與我無異凡來請召急去無遲或止求藥宜即發付勿問貴賤勿擇貧富專以救人為心冥冥中自有祐之者乘人之急故意求財用心不仁冥冥中自有禍之者吾鄉有張彥明善醫僧道貧士軍兵及貧者求藥皆不受錢或反以錢米與之來請召雖至貧下亦去富者以錢求藥不問多寡必多與藥期於必愈未嘗萌再携錢來求藥之心

病若危篤亦多與好藥以慰其心終不肯受錢予與處久詳知其人為醫而口終不言錢可謂醫人中第一等人矣一日城中火災周回爇盡烟焰中獨存其居一歲牛災尤甚而其莊上獨全此神明祐助之其子讀書乃預魁薦孫二三人皆龐厚俊爽亦天道福善之信然也使其孜孜以錢物心失此數者所得不足以償所失矣同門之人可不鑑哉

醫說卷第十

伏讀張君季明醫說無非濟人救物之事而將之曰至誠三世授受相傳一脉是可嘉尚也已余來新安恨識之晚將虛心而訪以求衛生之經云

嘉定甲申春三月中澣星江彭方書于古歙歲寒堂

醫意也果可以紙上索乎雖曰不知書而曰我知醫余不信也知書矣而未之廣猶不知書也張君季明示余醫書一編載古今事跡至纖悉蓋其生平目覽耳聽凡涉于醫者必録録必以

其類今老矣搜訪尚不輟將成一家之書以傳于世張世以醫名世者季明用心之勤如此其能世其世可知也季明有子字九萬肄業郡庠性敏而能文使以季明勤于醫之心而勤于學其能為張氏大門户亦可知也噫季明之用心如此其必有子以大門户又可知也是則季明末編報應之說

嘉定甲申首夏末澣四明李以制書

右張季明醫說季明儒生也集是說以傳于世人多笑其流于伎不知真儒生之用心也使世

之醫者皆以季明之心爲心雖庸醫足以爲良醫尚以驅儈之心處之雖良醫且庸矣况本庸耶近世士夫所以每歎所在無良醫人之疾病不得盡其理而死者亦衆然豈真無良醫耶不仁之心壞之也季明之伯祖子充以醫術受知於忠宣范公名滿京洛察脉語證妙出意表略無毫髮隱情諸公待之如神人蓋已能儒其心矣季明父祖能世其業季明又能力學以求古人之用心則凡有可以廣人之聞見使其知所趨避以自免于疾與夫參稽已驗之效有疾而

自能處其疾不為庸醫所誤是季明之仁術也則是說之集安可以伎而咲之耶況季明之於醫自有得其伯祖之秘傳以是心而行是伎季明其儒術之良者也使其得科第而登仕籍其仁民之心又當如何耶此予所以喜之而與題其後云

開禧丁卯七夕建安江疇跋

余曩讀千金方間遇一二奇証扣諸醫莫能識疑蓄既久因念華佗不出出將終無所質究及分教新安始得張君季明所謂醫說者而閱之

於是前者之疑渙然釋豁然悟而且嘆曰是說其有濟於世也博矣按其伯祖子充生於 皇
朝元符間嘗從蜀王朴學太素能知人禍福貴賤受其衣領秘藏素書甚詳後以此活人不可勝計季明其傳也夫柰近世醫道之壞謬悠無耻之徒崇飾疑誤援據臆說欺世盜名至附以隱僻奇怪使人不易通曉季明疾之因博採傳記攷古援今遠追昔人素書之遺近質當世謏聞之妄推見至真開悟後學紀次殆千餘條或錄夢感或與神遇積衆口已效之傳而病証方

論若合符契略無一事抵牾其視餘子之淺近迂誕者不可同年而語矣昔楊子雲憫百氏之爭鳴獨推五經以為衆說郛然則季明之書其亦說郛之謂歟若夫用志之勤推心之厚增附陰騭以昌大厥嗣是又無可疑者故書此以遺之

寶慶丁亥十二月望日東陽徐杲書

越帥待制汪公鎮越累年未嘗不以濟人救物為心興利除害為事一日以張氏醫說巨編示興俾校正其訛謬將鋟梓以廣其傳興因釐綜

肅容而觀之見其叙醫家之本末疾病之精微無慮數十萬言吁何其詳且博也夫醫之道大矣自神農黃帝岐伯雷公而下無非聖哲開其源賢智導其流故能拯黎元之疾苦贊天地之生育世道既降士大夫以此為技藝不屑為之而畀之凡流故以至精至妙之理而出於至卑至賤之愚其不能起人之疾反以夭其命者多矣此范文正公所以自謂不遇則願為良醫前輩亦云治病而委之庸醫比之不慈不孝也抑興思之自昔卓然名家者如和緩扁鵲淳于意

張仲景孫真人及脉訣等書其論醫也莫不以保養為先藥石為輔至於察形診脉必致辨於毫芒疑似之末而深痛夫世之醫者苟簡虛憍之習也是書所載大畧舉矣而以序冠其前者顧乃以醫之伐病如將之伐敵當用背水陣以決勝是徒見夫華佗之說時出其間而或以奇捷之方拯人之危者爾愚觀近世賢士有為證類本草者其說謂道經畧載扁鵲數法其用藥猶是本草家意至漢淳于意及華佗等方今時有存者皆條理藥性惟仲景一部最為衆方之

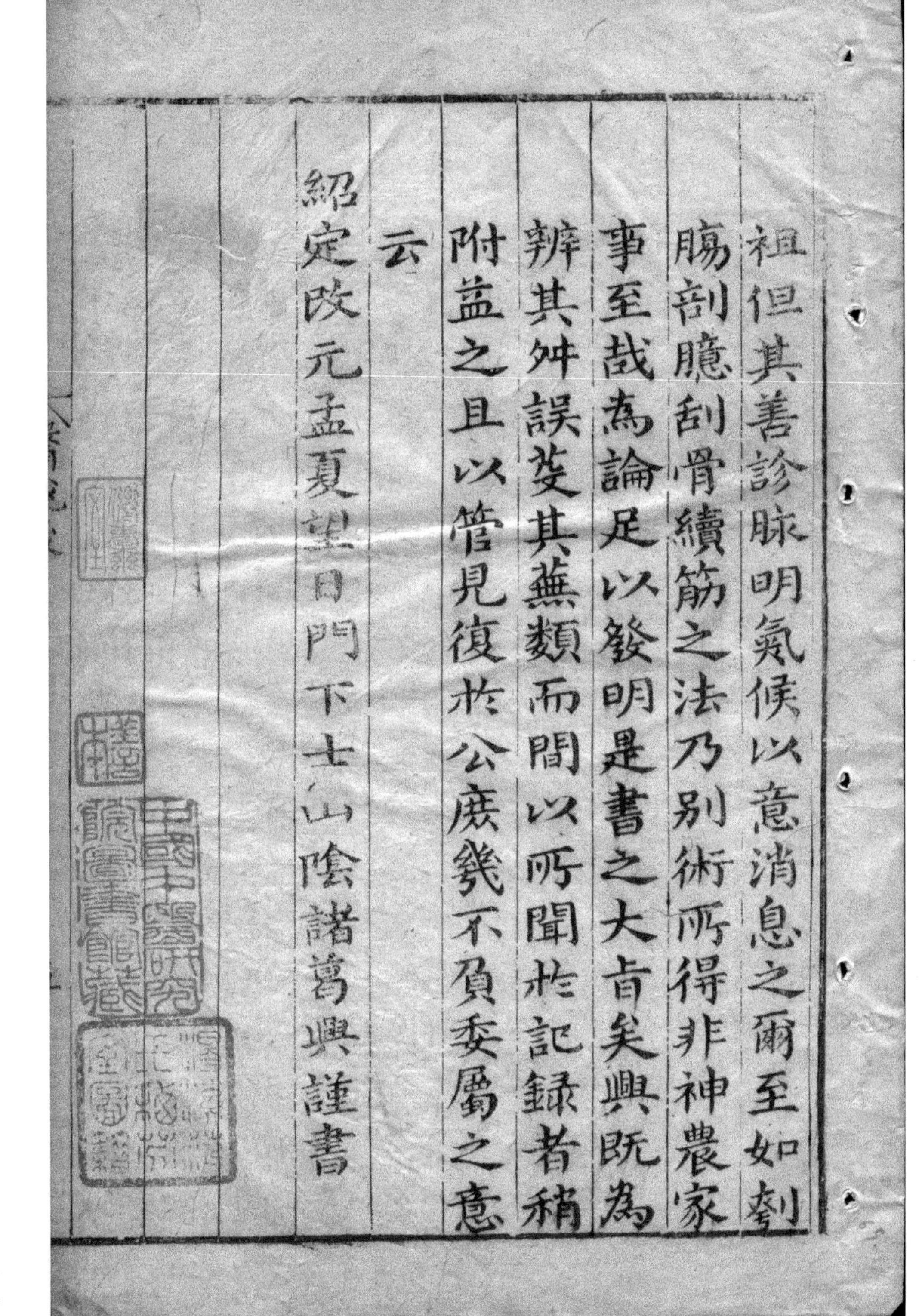

祖但其善診脉明氣候以意消息之爾至如刳腸剖臆刮骨續筋之法乃别術所得非神農家事至哉為論足以發明是書之大旨矣興既為辨其舛誤芟其蕪纇而間以所聞於記録者稍附益之且以管見復於公庶幾不負委屬之意云

紹定改元孟夏望日門下士山陰諸葛興謹書

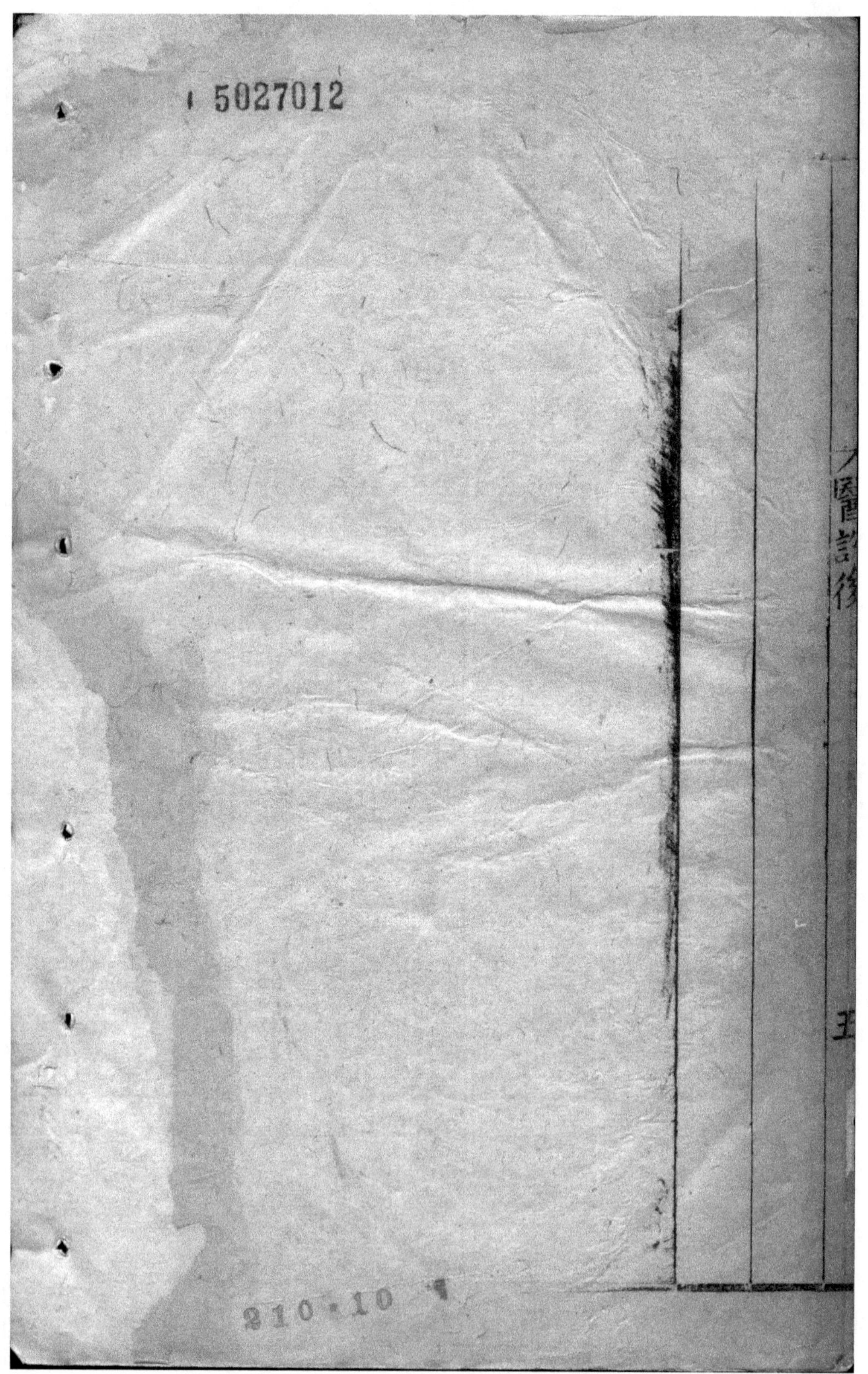

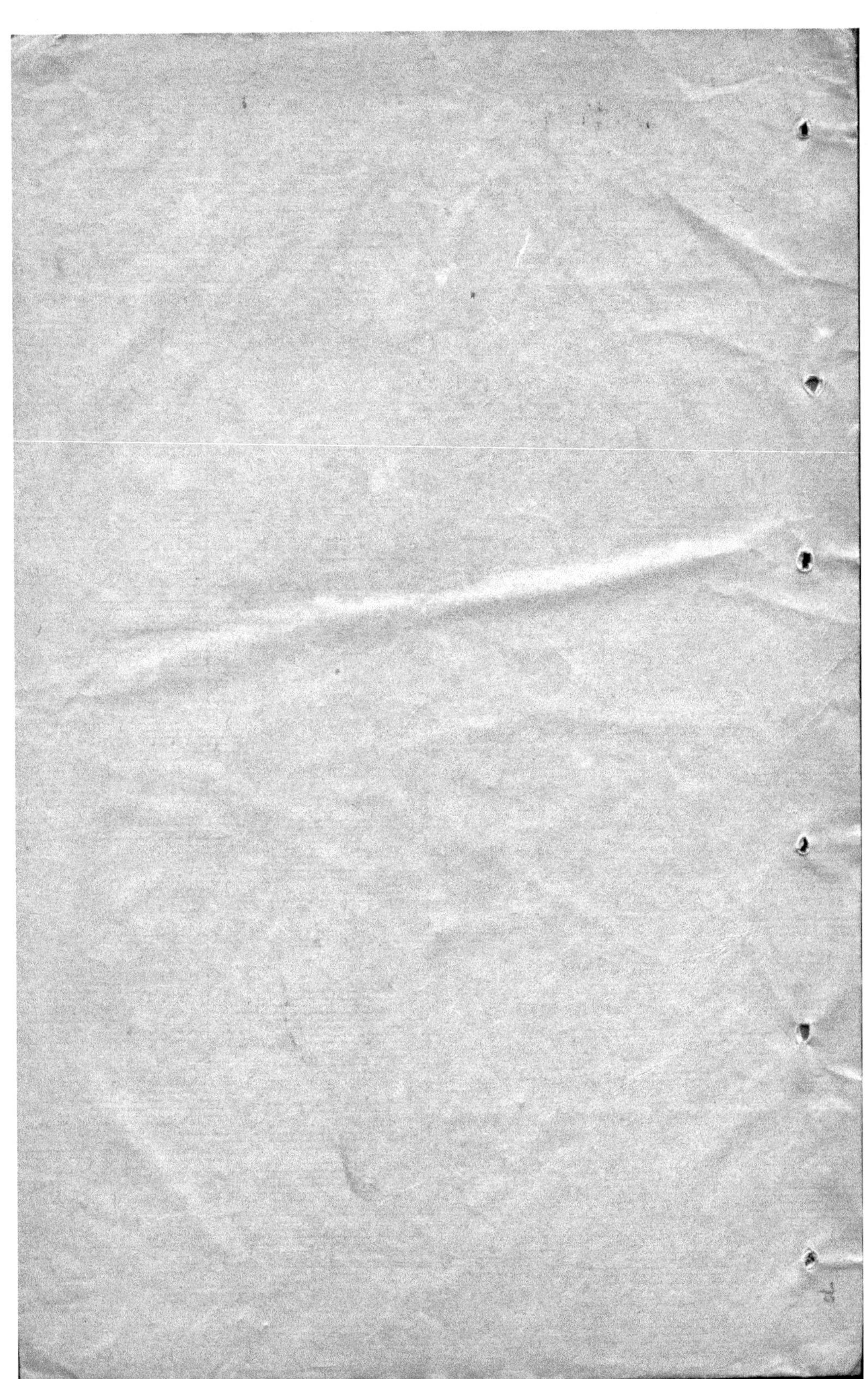